CROSS FIRE

JAMES PATTERSON BIJ UITGEVERIJ CARGO

Tweestrijd
De affaire
Zevende hemel
Je bent gewaarschuwd
Cross Country
Bikini
Achtste bekentenis
Ik, Alex Cross
Partnerruil
Het negende oordeel

James Patterson

Cross Fire

Vertaald door
Paul Witte

2010

DE BEZIGE BIJ

AMSTERDAM

2 1. 01. 2011

Cargo is een imprint van uitgeverij De Bezige Bij, Amsterdam

Copyright © 2010 James Patterson
Copyright Nederlandse vertaling © 2010 Paul Witte
Oorspronkelijke titel *Cross Fire*
Oorspronkelijke uitgever Little, Brown and Company, New York
Omslagontwerp Studio Jan de Boer
Omslagillustratie Trevillion Images / Allan Jenkins
Foto auteur Sue Solie Patterson
Vormgeving binnenwerk Peter Verwey, Heemstede
Druk Koninklijke Wöhrmann, Zutphen
ISBN 978 90 234 5723 7
NUR 305

www.uitgeverijcargo.nl

Voor Scott Cowen, hoofd van de Universiteit van Tulane en held van New Orleans. Het is mede aan zijn leiderschap en herculische inspanningen te danken dat er na de verwoestingen van orkaan Katrina voor zowel Tulane als New Orleans weer een rooskleurige toekomst is weggelegd.

Wat je vindt, mag je houden

EEN

Het was alweer maanden geleden dat Kyle Craig zijn laatste moord had gepleegd. Ooit was hij het type dat alles gisteren had willen hebben – zo niet sneller. Maar nu niet meer. Als al die jaren van gekmakende eenzaamheid in de extra beveiligde inrichting van Florence in Colorado hem íets hadden geleerd, was het wel wachten op wat hij wilde hebben.

Hij zat geduldig in de hal van het appartement van zijn slachtoffer, in Miami. Met het wapen als een baby op zijn schoot keek hij naar de lichtjes van de haven. Hij had geen haast, hij genoot van het uitzicht; misschien leerde hij nu pas echt van het leven te genieten. Hij zag er ook heel ontspannen uit, in zijn verschoten spijkerbroek, sandalen en T-shirt waarop stond: BESCHOUW DIT MAAR ALS EEN WAARSCHUWING.

Om 02:12 uur klonk het geluid van een sleutel die in een slot wordt gestoken. Kyle kwam onmiddellijk overeind en drukte zich tegen de wand, net zo roerloos als de kunstwerken aan de muur.

Zijn slachtoffer, Max Siegel, kwam fluitend binnen. Kyle kende de melodie uit zijn jeugd: het was *Peter en de wolf*. De strijkerssectie, het jagersthema. Hoe ironisch.

Hij wachtte tot Max Siegel de deur achter zich had dichtgedaan en een paar stappen in het nog donkere appartement had gezet. Toen richtte Kyle de rode laserstraal van zijn wapen en haalde de trekker over. 'Dag, meneer Siegel,' zei hij. 'Aangenaam kennis te maken.'

De met vijftigduizend volt geladen zoutoplossing raakte Siegel vol in de rug. Hij gromde tussen zijn op elkaar geklemde kaken door. Eerst verstijfden zijn schouders, daarna de rest van zijn lichaam; toen viel hij als een boom op de vloer.

Kyle handelde razendsnel. Hij sloeg een nylonkoord drie keer om Siegels strot en sleepte hem weg; eerst maakte hij een klein rondje om de zoutoplossing op de vloer op te dweilen, vervolgens trok hij hem naar de badkamer aan de achterkant van het appartement. Siegel was te verzwakt om zich te verzetten. In een poging niet gewurgd te worden, gebruikte hij zijn laatste krachten voor het loswringen van het koord.

'Niet tegenstribbelen,' zei Kyle ten slotte. 'Dat heeft toch geen zin.'

Kyle tilde hem in het grote bad en bond de uiteinden van het koord aan de chromen kranen. Dat was fysiek gezien niet nodig, maar het zorgde ervoor dat Siegel zijn hoofd zo ver omhoog moest houden dat Kyle zijn gezicht goed kon zien.

'Je kent deze dingen zeker niet, of wel?' vroeg hij terwijl hij zijn vreemde pistool liet zien. 'Ik weet dat je een tijdje undercover hebt gewerkt, maar geloof mij, dit gaat heel groot worden.'

Het wapen leek op een enorm waterpistool, wat het in zekere zin ook was. Een gewoon stroomstootwapen deed het hooguit een halve minuut. Maar dit schatje bleef dankzij het op zijn rug gebonden waterreservoir, waar negen liter in kon, heel lang doorgaan.

'Wat... wil je?' Siegel wist eindelijk een antwoord op deze waanzin uit zijn strot te krijgen.

Kyle haalde een digitaal cameraatje uit zijn zak en maakte foto's. Van voren en van links en rechts en profil.

'Ik weet wie je bent, agent Siegel. Laten we daarmee beginnen, oké?'

Eerst trok er een spoor van verwarring over het gezicht van de man. Daarna een van angst. 'O mijn god, dit is een afschuwelijke vergissing. Ik ben Ivan Schimmel!'

'Nee,' zei Kyle terwijl hij fanatiek doorging met fotograferen – voorhoofd, neus, kin. 'Je bent Max Siegel, van de FBI. Je bent de afgelopen zesentwintig maanden diep in het Buenez-kartel geïnfiltreerd. Je hebt je zo ver opgewerkt dat ze je verschepingen laten doen. En terwijl iedereen Colombia in de gaten houdt, smokkel jij vanuit Phuket en Bangkok heroïne naar Miami.' Hij liet de camera zakken en keek Siegel recht aan. 'Over moreel relativisme zullen we het maar niet hebben. Alles in naam van het grote speurwerk, toch, agent Siegel?'

'Waar heb je het over?' riep hij. 'Alsjeblieft! Kijk in mijn portemonnee!' Hij verzette zich weer, maar daar maakte een nieuwe dosis stroom snel een einde aan. De elektriciteit stroomde door al zijn zenuwen. Siegels pijngrens deed er niet toe. En de munitie, als je het tenminste zo kunt noemen, verdween via het riool in de Baai van Biscayne.

'Ik vergeef je dat je me niet herkent,' vervolgde Kyle. 'Zegt de naam Kyle Craig je iets? Het Meesterbrein, misschien? Zo noemden ze me in dat puzzelpaleis in Washington D.C. Daar heb ik namelijk gewerkt. Lang geleden.'

Er schoot een flits van herkenning door Siegels ogen – niet dat Kyle bevestiging nodig had. Hij bereidde zijn werk nog altijd uitstekend voor.

Maar ook deze Max Siegel was een pro. Hij zou het spelletje blijven spelen, nu meer dan ooit. 'Alsjeblieft,' zei hij snikkend toen hij weer kon praten. 'Wat is dit? Wie ben je? Ik begrijp niet wat je wilt.'

'Alles, Max. De hele rataplan.'

Kyle nam nog een stuk of zes foto's en stopte het cameraatje weer in zijn zak. 'Eigenlijk ben je het slachtoffer van je eigen goede werk, als dat een troost is. Niemand hier weet wie je bent, zelfs de lokale FBI niet. Daarom heb ik jou uitgekozen. Uit alle agenten die in de VS werken, heb ik jou geselecteerd. Jou, Max. Enig idee waarom?'

De laatste zinnen sprak Kyle met een andere stem uit. Nasaler, met exact dat vleugje Brooklyns dat de uitspraak van de echte Max Siegel lardeerde.

'Dat lukt je nooit! Je bent niet goed bij je hoofd!' schreeuwde Siegel naar hem. 'Je bent godverdomme knettergek!'

'Naar sommige maatstaven wel, ik denk dat je daar inderdaad gelijk in hebt,' zei Kyle. 'Maar daar staat tegenover dat je nooit het genoegen zult hebben een briljantere gek dan ik te leren kennen.' Toen haalde hij de trekker nog een keer over en liet het ding een tijdje stromen.

Siegel kronkelde zonder een kik te geven op de bodem van het bad. Uiteindelijk begon hij zich in zijn eigen tong te verslikken. Kyle keek toe, zorgde ervoor dat hem van het begin tot het einde geen detail ontging en bestudeerde zijn proefkonijn tot er niets meer van te leren was.

'Laten we hopen dat het gaat lukken,' zei hij. 'Ik zou niet willen dat u voor niets sterft, meneer Siegel.'

TWEE

Tweeëntwintig dagen later betaalde een man die sprekend op Max Siegel leek zijn rekening in Hotel Habana, in de chique wijk Miramar in Havana, op Cuba. Medisch toerisme was hier net zo gewoon als zakkenrollerij; niemand keek op toen de breedgeschouderde man in het linnen pak met twee blauwe ogen en verbandgaas over zijn neus en oren door de lobby liep. Hij zette een perfect nagebootste handtekening onder de rekening en betaalde met Max Siegels gloednieuwe creditcard van American Express. De operaties daarentegen had hij contant afgerekend.

Vanaf het hotel nam hij een taxi naar de andere kant van de stad, waar de praktijk van dokter Cruz discreet in een van de eindeloze neoklassieke galerijen zat weggestopt. Want achter de voordeur bevond zich een moderne kliniek met de best denkbare service, uitstekend personeel en eersteklas materiaal: menig plastisch chirurg uit Miami of Palm Beach zou er jaloers op zijn.

'Señor Siegel, ik moet zeggen dat ik hier heel trots op ben,' zei de arts zacht terwijl hij de laatste gaasverbanden verwijderde. 'Al zeg ik het zelf, ik heb zelden zulk fraai werk geleverd.' Hij had een bedachtzame manier van doen, maar handelde tegelijkertijd kordaat en efficiënt – heel professioneel. Je zou niet denken dat hij met hetzelfde gemak in de ethische normen als in de huid van zijn patiënten sneed.

Dokter Cruz had tijdens één operatie zeven verschillende ingrepen uitgevoerd; elders zouden ze daar maanden, zo niet een jaar voor nodig hebben. Kyles oogleden waren gecorrigeerd, er was een plaatje in zijn neus gezet, de huid en het weefsel rondom de neuspiramide waren gelift; hij had Medpor-implantaten voor een robuustere kin en prominentere jukbeenderen gekregen; er was een nauwelijks waarneembare genioplasty van het kaakbeen uitgevoerd en zijn voorhoofd was licht opgehoogd met siliconen. En om het af te maken was er nog een mooi kuiltje in zijn kin gemaakt – precies zoals bij Max Siegel.

Op verzoek van de patiënt was er vóór de ingrepen geen beeldmateriaal gemaakt. Tegen betaling van het juiste tarief vond dokter Cruz het geen probleem vanaf een reeks digitale vergrotingen op de harde schijf te werken, stelde hij geen vragen en interesseerde hij zich niet voor biofysische details.

Nu hield hij de grote handspiegel voor Kyle op. Het resultaat was verbluffend, vooral dankzij de implantaten.

De man die vanuit de spiegel naar hem glimlachte, was niet langer Kyle, maar Max. Hij voelde een lichte steek in zijn mondhoeken, die minder soepel bewogen dan vroeger. Hij herkende zichzelf absoluut niet – alsof hij in de maling werd genomen, maar dan op de best denkbare manier. Hij was in de maanden die achter hem lagen wel vaker vermomd geweest, onder meer met een paar zeer kostbare protheses die hem hadden geholpen uit de gevangenis weg te komen. Maar dat stelde hierbij vergeleken niets voor.

'Hoe lang duurt het voordat de blauwe plekken zijn verdwenen?' vroeg hij. 'En de zwellingen rond mijn ogen?'

Cruz reikte hem een folder met informatie over de nazorg aan. 'Al u voldoende rust neemt, zou u er over zeven tot tien dagen volkomen normaal uit moeten zien.'

De overige aanpassingen kon hij zelf doen: scheren, het blonde haar millimeteren en zwart verven en eenvoudige gekleurde lenzen in doen. Nee, hij mocht niet klagen – behalve dan over het feit dat Max Siegel er veel minder goed uitzag dan Kyle Craig.

Maar goed, wat kon hem dat verdommen? Het ging hier om

het grotere plaatje. De volgende keer zou hij Brad Pitt kunnen worden, mocht hij dat willen.

Hij verliet de kliniek uitstekend gehumeurd en nam direct een taxi naar vliegveld José Marti. Vandaar vloog hij nog diezelfde middag via Miami naar Washington D.C. Voor het hoofdprogramma.

Inmiddels dacht hij nog maar aan één ding: de ontmoeting met zijn voormalige vriend en gelegenheidspartner, Alex Cross. Zou Alex de beloften die Kyle hem jaren geleden had gedaan vergeten zijn? Vast niet. Zou Cross in de tussentijd zelfgenoegzaam zijn geworden? Dat zou kunnen. Hoe dan ook, de 'geweldige' Alex Cross ging sterven, op een rotmanier welteverstaan. Hij zou lijden, maar dat niet alleen: hij zou spijt hebben. Het stond buiten kijf dat dit het slotstuk ging worden dat al het wachten de moeite waard zou maken.

En daar ging Kyle heel wat plezier aan beleven. Als de nieuwe, verbeterde versie van Max Siegel wist hij tenslotte beter dan wie ook dat er meer dan één manier was om iemand van het leven te beroven.

DEEL EEN

Schutter gereed

HOOFDSTUK 1

Er was wéér een mangat in Georgetown geëxplodeerd, het deksel was bijna twaalf meter de lucht in gevlogen. Het was een vreemde epidemie; de verouderde infrastructuur van de stad leek een of andere kritieke massa te hebben bereikt.

Mettertijd waren de kabels onder de grond gaan rafelen en smeulen en hadden de ruimten onder de straten zich met een explosief gas gevuld. De laatste tijd, en vooral de afgelopen dagen, veroorzaakten die vergane kabels elektrische lichtbogen in het riool, waardoor er voortdurend vuurballen ontstonden en de honderdvijftig kilo zware ijzeren discussen door de lucht vlogen.

Denny en Mitch waren dol op dat soort idiote, linke dingen. Ze liepen iedere middag met hun krantjes naar de openbare bibliotheek om op de website van het Districtsdepartment voor Transport (DDOT) te kijken waar de verkeersdrukte het grootst was. Ze moesten het van verkeersopstoppingen hebben.

Op gewone dagen maakte Key Bridge zijn bijnaam, de Car Strangled Spanner, al meer dan waar, maar vandaag hield de toegangsweg M Street het midden tussen een parkeerplaats en een circus. Denny liep tussen de auto's door, Mitch nam de buitenkant.

'De *True Press*, voor maar één dollar! Help de daklozen!'

'Jezus houdt van u, help de daklozen!'

Ze waren een merkwaardig stel om te zien: Denny, een lange, magere, blanke man met een slecht gebit en een stoppelbaard die zijn ingevallen kin niet helemaal kon verbloemen; en Mitch, een Afro-Amerikaan met een jongensachtig, donker gezicht, een gedrongen lichaam van maar één meter vijfenzeventig en bijpassende minidreadlocks op zijn hoofd.

'Een perfecte metafoor, vind je niet?' vroeg Denny. Ze praatten over de daken van de auto's heen met elkaar – of eigenlijk praatte Denny en gedroeg Mitch zich tegenover de klanten als de man die min of meer in orde was.

'Daar beneden ons, waar niemand kijkt omdat er toch alleen maar ratten en stront te vinden zijn, stijgt de druk, maar niemand die het wat kan schelen. En dan, op een dag...' Denny zoog zijn wangen vol en bootste het geluid van een explosie na. 'En daarom moet je nu uitkijken, want ratten en stront zijn overal en iedereen vraagt zich af waarom niemand iets heeft gedaan om dat te voorkomen. Ik bedoel maar, als dat Washington niet ten voeten uit is, weet ik het echt niet meer.'

'Mijn idee, gabber,' zei Mitch. 'Mijn i, a, b, c, dee.' Hij lachte om zijn eigen domme grapje. Op zijn vale T-shirt stond: IRAK – BEN JE ER NIET GEWEEST? HOU DAN JE MOND! Hij droeg net zo'n camouflagebroek als Denny, alleen was die van hem te wijd en op kuithoogte afgeknipt.

Denny's T-shirt hing over zijn schouder, zodat zijn niet geheel volmaakte wasbord zichtbaar was. Het kon geen kwaad te laten zien dat je wat in huis had, en van zijn gezicht moest hij het niet hebben.

'Zo doen we dat in Amerika,' vervolgde hij zo luid dat iedereen wiens raampje openstond het kon horen. 'Gewoon blijven doen wat je altijd hebt gedaan: pakken wat je altijd hebt gepakt. Heb ik gelijk of niet?' vroeg hij aan een knappe zakenvrouw in een BMW. Ze glimlachte zowaar en kocht een krantje. 'God zegene u, mevrouw. En zo doen wíj dat, dames en heren!'

Hij ging verder met bespelen van de menigte en steeds meer bestuurders staken een hand met kleingeld uit het raam.

'Hé, Denny!' Mitch gebaarde met zijn kin naar twee agenten die vanaf 34th Street dichterbij kwamen. 'Ik weet niet of die twee er net zo over denken.'

Voordat de agenten iets hadden kunnen zeggen, schreeuwde Denny: 'Het is niet verboden te bedelen, heren! Niet buiten de federale parken, althans, en de laatste keer dat ik het checkte was M Street nog altijd geen park!'

Een van hen gebaarde naar het grommende verkeer, de Pepcovrachtwagens en en paar brandweerauto's. 'Je maakt zeker een geintje, hè? Vooruit, wegwezen.'

'Kom op, man. Wou je een paar dakloze veteranen nou echt verbieden om op een eerlijke manier aan de kost te komen?' 'Zijn júllie soms in Irak geweest?' voegde Mitch eraan toe. Mensen begonnen te kijken.

'Je hebt hem gehoord,' zei de tweede agent. 'Doorlopen. Nu.'

'Kom op, man, ook al héb je een eikel, je hoeft er nog geen te zíjn,' zei Denny tot vermaak van een paar omstanders. Hij voelde dat hij zijn geboeide publiek op zijn hand kreeg.

Plotseling werd hij geduwd. Mitch hield er niet van aangeraakt te worden en de agent die het gedaan had landde op zijn achterste tussen de auto's. De andere legde zijn hand op Denny's schouder, maar Denny sloeg hem bliksemsnel weg.

Hoogste tijd om te vertrekken.

Hij gleed over de motorkap van een gele taxi en rende met Mitch in zijn kielzog in de richting van Prospect.

'Staan blijven!' schreeuwde een van de agenten hem na.

Mitch rende verder, maar Denny bleef staan en draaide zich om. Er stonden nu meerdere auto's tussen Denny en de agent. 'Wat wou je nou? Midden in het verkeer op een dakloze veteraan gaan schieten?' Toen spreidde hij zijn armen. 'Ga je gang, man. Schiet maar. Bespaar de overheid een paar dollar.'

Er werd getoeterd, en sommige mensen riepen vanuit hun auto. 'Hé joh, laat die gasten met rust!'

'Steun onze jongens!'

Denny glimlachte, salueerde met zijn middelvinger en rende achter Mitch aan. In een oogwenk sprintten ze 33th op en even later waren ze uit beeld.

HOOFDSTUK 2

Ze lachten nog steeds toen ze bij Denny's oude Suburban aankwamen, die op parkeerplaats 9 van de Lauinger Library op de campus van Georgetown stond. 'Die was goed!' Mitch' pafferige gezicht glansde van het zweet, maar hij was niet buiten adem. Hij was zo'n type wiens spieren er als vet uitzagen. '"Wat wou je nou? Midden in het verkeer op een dakloze veteraan gaan schieten?"' papegaaide hij.

'De *True Press*, één dollar,' zei Denny. 'Een lunch bij Taco Bell, drie dollar. De blik op die juut z'n gezicht toen hij doorhad dat je hem te pakken had. Onbetaalbaar. Ik wou dat ik een foto had.'

Hij plukte een feloranje envelop onder zijn ruitenwisser vandaan en stapte achter het stuur. De auto rook nog steeds naar de non-stop gerookte sigaretten en de burrito's van de vorige avond. Naast de in elkaar gefrommelde kussens en dekens op de ene helft van de achterbank lag een grote zak vol statiegeld-blikjes.

Daarachter, onder een stapel uitgevouwen kartonnen dozen, restanten van een oud tapijt en een namaakbodem van multiplex, lagen twee Walther PPS 9-millimeterpistolen, een semi-automatische M-21 en een M-110, een zwaar scherpschuttergeweer uit het leger. Verder lagen er nog een warmtezoeker voor grote afstanden, een vizier, een schoonmaaksetje voor wapens en een paar doosjes munitie; ze waren in een groot plastic grondzeil gewikkeld met een paar elastische koorden eromheen.

'Dat heb je goed gedaan, Mitchie,' zei Denny. 'Heel goed. Je bleef supercool.'

'Mwah,' zei Mitch terwijl hij zijn zakken op het plastic dien-blaadje tussen hen in leegmaakte. 'Ik blijf altijd cool, Denny. Ik ben net een, een... kikker.'

Denny telde de opbrengst van die dag. Vijfenveertig dollar en nog wat kleingeld – niet slecht voor zo'n korte dienst. Hij gaf Mitch tien briefjes van één dollar en een handvol kwartjes terug. 'Wat denk je, Denny? Ben ik er klaar voor of niet? Ik denk zelf van wel.'

Denny leunde achterover en stak een half opgerookte peuk uit de asbak op. Hij gaf hem aan Mitch en stak er nog een voor zich-zelf op. In dezelfde beweging stak hij de oranje envelop met de parkeerboete in de fik en liet hem brandend op de stoep vallen.

'Nou, Mitch, misschien ben je er inderdaad klaar voor. De vraag is: zijn zíj klaar voor óns?'

Mitch' knieën gingen als een drilboor op en neer. 'Wanneer beginnen we? Vanavond? Wat dacht je van vanavond? Nou, Denny?'

Denny haalde zijn schouders op en leunde achterover. 'Geniet zolang het nog kan maar van de rust en de stilte, want voor je het weet ben je zo beroemd als de pest.' Hij blies een kring rook uit, en daarna nog één die door de eerste heen ging. 'Ben je er klaar voor om beroemd te worden?'

Mitch keek uit het raampje naar een paar aantrekkelijke, kort-gerokte Mexicaanse studentes die het parkeerterrein overstaken. Zijn knieën wipten nog steeds op en neer.

'Ik ben klaar voor onze missie, dat weet ik zeker.'

'Heel goed. En wat houdt onze missie in, Mitchie?'

'De rommel in Washington opruimen, precies zoals de politici altijd zeggen.'

'Precies. Zij zeggen het...'

'En wij gaan het doen. Echt, hè? Echt.'

Denny hield zijn vuist op voor een boksgroet en startte de auto. Hij reed een stuk achteruit om de dames beter van achte-ren te kunnen bekijken.

'Nu we het toch over lekkere Mexicaanse hapjes hebben…' zei hij, en Mitch lachte. 'Waar zullen we gaan eten? We hebben nog heel wat te verbranden, vandaag.'

'Bij Taco Bell, gozer,' zei Mitch zonder na te denken.

Denny trok hard op om in te kunnen voegen en reed weg. 'Wat een verrassing!'

HOOFDSTUK 3

In die tijd was mijn liefde voor Bree nog tamelijk pril. Bree was Brianna Stone, die bij de politie van Washington D.C. 'de Steen' werd genoemd. Daar had ze inderdaad wel wat van weg: ze was onwankelbaar, diepzinnig en mooi. Ze werd al snel zo belangrijk voor me dat ik me niet kon voorstellen dat we ooit nog zonder elkaar zouden zijn. Ik was in geen jaren zo evenwichtig en geestkrachtig geweest.

Natuurlijk scheelde het ook dat het de laatste tijd rustig was op Moordzaken. Als agent vraag je je tijdens zo'n periode van windstilte af wanneer de pleuris weer gaat uitbreken, maar dat was die donderdag nog niet gebeurd en Bree en ik genoten van de ongekende luxe dat we twee uur konden lunchen. Normaal gesproken zien we elkaar alleen overdag als we allebei aan dezelfde zaak werken.

We zaten achter in Ben's Chili Bowl, onder de gesigneerde foto's van beroemdheden. Ben's is misschien niet het toppunt van romantisch, maar in Washington is het wel een begrip. Alleen de broodjes worst maken een bezoekje al meer dan de moeite waard.

'Weet je hoe ze ons tegenwoordig noemen, op het politiebureau?' vroeg Bree halverwege een koffiemilkshake. 'Breelex.'

'Breelex? Naar Brad en Angelina? Getverdemme!'

Ze lachte; ze slaagde er niet in mij met een uitgestreken gezicht aan te kijken. 'Ik zei het toch? Agenten hebben nou eenmaal geen fantasie.'

'Hm.' Onder de tafel legde ik mijn hand op haar knie. 'Uitzonderingen daargelaten, natuurlijk.'

'Natuurlijk.'

Alles wat verderging dan dat moest wachten, en niet eens zozeer omdat de wc's van Ben's Chili Bowl echt geen optie waren. Nee, we gingen die dag iets belangrijks doen.

Na het eten slenterden we hand in hand naar de juwelierszaak van Sharita Williams, in U Street. Sharita is een oude middelbareschoolvriendin en toevalligerwijs ook nog eens heel goed in antieke juwelen.

Toen we de deur opendeden, klingelden er tientallen belletjes boven ons hoofd.

'Jezus, wat zien jullie er verliefd uit!' glimlachte Sharita vanachter de toonbank.

'Dat zijn we ook, Sharita,' zei ik. 'En ik kan het je van harte aanbevelen.'

'Als jij de juiste man voor me vindt, Alex, ben ik er best voor te porren.'

Ze wist waar we voor gekomen waren en pakte een klein fluwelen doosje vanonder de vitrine. 'Hij is heel mooi geworden,' zei ze. 'Ik vind hem echt schitterend.'

De ring was van mijn oma geweest, Nana Mama, een vrouw met onwaarschijnlijk kleine handen, dus we hadden hem voor Bree op maat laten maken. De ring had een platina art-decovatting met drie diamanten erop, wat ik echt perfect vond: voor ieder kind één. Misschien is het een cliché, maar die ring vertegenwoordigde alles waar Bree en ik voor stonden. Dit was een package deal, en ik was de gelukkigste man van de wereld.

'Zit-ie goed?' vroeg Sharita toen Bree hem omdeed. Zij konden hun ogen niet van de ring afhouden; ik kon mijn ogen niet van Bree afhouden.

'Ja, hij zit goed,' zei ze terwijl ze in mijn hand kneep. 'Ik heb nog nooit zoiets moois gezien.'

HOOFDSTUK 4

In de namiddag ging ik nog even langs het Daly-gebouw: het papierwerk op mijn bureau had zich opgestapeld, en ik kon net zo goed nu proberen de achterstand weg te werken.

Maar net toen ik de afdeling Bijzondere Zaken op liep, kwam hoofdcommissaris Perkins naar buiten in gezelschap van iemand die ik niet kende.

'Alex,' zei hij. 'Mooi zo. Dat bespaart me een wandeling. Loop je even mee?'

Dat voorspelde niet veel goeds. Als de chef je wil spreken, ga jij naar hem toe, niet andersom. Ik draaide me honderdtachtig graden om en we liepen terug naar de liften.

'Alex, mag ik je voorstellen... Jim Heekin. Jim is de nieuwe adjunct-directeur van het Directoraat Inlichtingen van de FBI.'

We gaven elkaar een hand. Heekin zei: 'Ik heb veel over u gehoord, rechercheur Cross. Wat een aanwinst was voor de politie van Washington D.C., was een verlies voor de FBI.'

'O-o,' zei ik. 'Vleiende woorden zijn meestal een slecht voorteken.'

We lachten alle drie, maar het was wel waar. Vaak willen nieuwe FBI-managers de boel een beetje opschudden, gewoon, om te laten weten dat ze er zijn. Het was de vraag welke consequenties Heekins nieuwe baan voor mij zou hebben.

Eenmaal in Perkins' grote kamer op de vijfde verdieping werd Heekin een stuk specifieker.

'Ik neem aan dat u onze FIG's kent?' vroeg hij me.

27

'De *Field Intelligence Groups*,' zei ik. 'Ik heb er zelf nooit direct mee te maken gehad, maar ik ken ze natuurlijk wel.' De FIG's waren in 2003 opgericht om het inlichtingenapparaat verder te ontwikkelen en zo veel mogelijk informatie te delen met andere instanties die zich, ieder binnen hun respectievelijke jurisdictie, met het handhaven van de wet bezighouden. Op papier leek het een goed idee, maar critici zagen er een poging van de FBI in om hun verantwoordelijkheid voor de binnenlandse criminaliteit na 9/11 op die andere instanties af te schuiven.

Heekin vervolgde: 'Zoals u waarschijnlijk wel weet, werkt de FIG in DC met alle politiedepartementen in dit gebied samen, dus ook met de MPD. En met de NSA, de ATF, de Secret Service – noem ze maar op. We hebben maandelijks telefonisch werkoverleg, en indien nodig zien we elkaar op de plek waar wat aan de hand is.'

Dit begon verdacht veel op een verkooppraatje te lijken, en ik had al zo'n vermoeden wat hij wilde verkopen.

'Normaal gesproken vertegenwoordigen de hoofdinspecteurs hun departement bij de FIG's,' vervolgde hij zijn rustige, ritmisch uiteengezette verhaal, 'maar we willen graag dat ú die positie binnen het MPD op u neemt.'

Ik keek naar Perkins, die zijn schouders ophaalde. 'Wat kan ik zeggen, Alex? Ik heb het gewoon te druk.'

'Laat u zich niets wijsmaken,' zei Heekin. 'Ik heb er eerst met FBI-directeur Burns en daarna met de hoofdcommissaris over gesproken. Tijdens beide gesprekken werd alleen uw naam genoemd.'

'Dank u,' zei ik. 'Dat is heel vriendelijk. Maar ik zit hier goed.'

'Inderdaad, precies. De afdeling Bijzondere Zaken is geknipt voor deze positie. Hier blijven zal het werk er alleen maar eenvoudiger op maken.'

Dit was niet zozeer een voorstel, besefte ik, als wel een opdracht. Toen ik van de FBI naar de politie terugkeerde, gaf Perkins me zo ongeveer alles wat ik wilde hebben. Nu was het tijd voor een wederdienst, dat wisten we allebei, en hij wist dat ik geen nee zou zeggen.

'Ik behoud mijn rang,' zei ik. 'Ik blijf in eerste instantie rechercheur, ik word niet een of andere technocraat.'

Perkins grijnsde me vanachter zijn bureau toe. Hij zag er opgelucht uit. 'Prima. Dan blijf je in dezelfde loongroep.'

'En de zaken waar ik aan werk hebben voorrang boven andere dingen die op mijn pad komen?'

'Dat lijkt me geen probleem,' zei Heekin terwijl hij opstond.

Bij de deur gaf hij me weer een hand. 'Gefeliciteerd, rechercheur. U komt vooruit in deze wereld.'

Inderdaad, dacht ik. Of ik het nou leuk vind of niet.

HOOFDSTUK 5

Denny liep voorop en Mitch volgde, net als die kinderlijke man in het boek van Steinbeck, *Van muizen en mensen.* 'We gaan naar boven, Mitch. Helemaal boven.'

De tiende verdieping was de hoogste. Delen van de muur van twee bij vier meter waren bedekt met lappen plastic en onder hun voeten lag kaal multiplex. Een stapel pallets bij de ramen die op 18th Street uitkeken, vormden een mooie plek om hun kamp op te slaan.

Denny rolde het plastic grondzeil uit en spreidde het, voordat ze hun zakken erop neerlegden, uit op de vloer. Hij legde zijn hand op Mitch' rug en wees naar de plek waar ze net vandaan kwamen.

'Daar gaan we normaal gesproken door naar buiten,' zei hij. Hij draaide zich een kwartslag om en wees naar een andere deur. 'Dat is de alternatieve uitgang.' Mitch knikte steeds één keer. 'En als we elkaar kwijtraken?'

'Dan veeg ik mijn wapen schoon, dump ik het en zie ik je weer bij de auto.'

'Heel goed.'

Ze hadden het misschien wel vijftig keer gerepeteerd, van het begin tot aan het eind.

Je moest het erin stampen, dat was de truc. Mitch had allerlei talenten, maar hij had ze nooit ontplooid. Gelukkig dacht Denny voor twee.

'Heb je nog vragen?' vroeg hij. 'Dan moet je ze nu stellen. Later heb je er niets meer aan.'

'Neuh,' zei Mitch. Zijn stem was vlak geworden en klonk alsof hij van ver kwam, zoals altijd wanneer hij zich op iets anders concentreerde. Hij had de met een geluiddemper uitgeruste M-110 al op de driepoot gezet en stelde het vizier scherp.

Denny zette zijn M-21 in elkaar en slingerde hem op zijn rug. Als alles volgens plan verliep, zou hij hem niet hoeven te gebruiken, maar het kon geen kwaad iets achter de hand te hebben. Hij droeg ook nog een Walther in een holster op zijn dij.

Met een diamanten glassnijder sneed hij een perfecte cirkel met een doorsnede van vijf centimeter in het raam, die hij er met een zuignap uit trok. Dankzij de gloed die de straatverlichting buiten verspreidde, spiegelde de ruit van buitenaf.

Mitch nam zijn positie in en Denny maakte een plekje iets hoger en iets meer naar links schoon, zodat hij over Mitch' schouder heen met de loop van het geweer mee kon kijken. Zelfs het lengteverschil tussen hen beiden pakte perfect uit.

Hij haalde de telescoop uit de kist. Vanaf hier hadden ze een vrij schotsveld tot de ingang van Taberna del Alabardero. De telescoop vergrootte honderd keer, het scheelde weinig of Denny zag de poriën in de gezichten van de mensen die het toprestaurant in en uit liepen.

'Kom maar, varken dat je bent,' fluisterde hij. 'Hé, Mitch, enig idee wanneer een varken weet dat hij genoeg heeft gegeten?'

'Nee.'

'Als hij geslacht wordt.'

'Die is goed,' zei Mitch op dezelfde vlakke toon. Hij had de houding aangenomen, zijn eigen houding: dan zag hij er een beetje freaky uit, zijn kont stak naar achteren en zijn ellebogen staken naar buiten, maar voor hem werkte dat. Als hij eenmaal in die houding stond, bewoog hij niet meer en keek hij niet meer weg totdat het voorbij was.

Denny controleerde alles nog één keer. Hij keek naar de stoom uit een afvoerpijp aan de overkant van de weg, hoe hij recht omhoog kringelde. Het was ongeveer vijftien graden. Alles was in orde.

Het enige wat ze nog nodig hadden, was hun doelwit, en het zou niet lang meer duren voordat dat er was.

'Ben je klaar om de djinn uit de fles te laten, Mitchie?' vroeg hij.

'Wie is Jean, Denny?'

Hij grinnikte. Mitch was een prachtgozer, echt waar. 'Het meisje van je dromen, man. Van je allerstoutste dromen.'

HOOFDSTUK 6

Om vijf over halfzeven stopte een zwarte Lincoln Navigator voor Taberna del Alabardero, een zeer populaire eetgelegenheid in Washington D.C. waar alleen de crème de la crème komt. Twee mannen die achterin hadden gezeten stapten aan weerszijden van de auto uit, een derde man opende het portier rechtsvoor. De bestuurder bleef in de auto. De drie mannen droegen een donker pak en een onopvallende das.

Bankiersdassen, dacht Denny. Die zou ik nog niet op mijn eigen begrafenis willen dragen.

'Die twee die achterin zaten. Heb je ze?'

'Ik heb ze, Denny.'

Alles was ingesteld. Het ballistisch informatiesysteem rekende de twee grootste krachten die op de kogel werden uitgeoefend uit – de wind, als die er al was, en de zwaartekracht. Het leek alsof de loop te hoog was gericht, maar door het richtkruis zag Mitch precies wat hij wilde zien.

Denny bekeek de doelwitten in close-up door zijn eigen telescoop. Ze zaten op de plek met het beste zicht. De op één na beste.

'Schutter gereed?'

'Schutter gereed.'

'Schieten maar!'

Mitch ademde langzaam uit en loste twee schoten achter elkaar.

Je zag de kogelsporen. Beide mannen gingen neer – de een viel op de stoep, de ander tegen de voordeur van het restaurant. Eigenlijk was het in visueel opzicht best spectaculair, twee perfecte schoten door het hoofd, vlak boven de nek.

Er brak paniek uit. De derde man dook letterlijk terug in de auto, andere mensen renden gebukt of met een arm boven hun hoofd weg.

Zij hoefden zich geen zorgen te maken. De missie was al volbracht. Mitch pakte zijn spullen weer in, die man was zo snel als een racewagenmonteur tijdens de pitstop.

Denny nam de m-21 van zijn rug, haalde het magazijn eruit en begon ook in te pakken. Veertig seconden later liepen ze de trap af, met twee treden tegelijk, tot ze beneden stonden.

'Hé, Mitch, je bent toch niet van plan aan de verkiezingen mee te doen, of wel?'

Mitch lachte. 'Misschien om president te worden.'

'Je deed het perfect, daarboven. Je mag wel trots zijn.'

'Ben ik ook, Denny. Dat zijn weer twee vette profiteurs minder, daar hoeft niemand zich meer zorgen over te maken.'

'Twee vette varkens dood op straat!'

Mitch gilde, geen slechte imitatie van een varken, en Denny viel in, tot hun stemmen vanuit het lege trappenhuis terugechoden. Beiden waren dronken van hun succes. Ze voelden zich fantastisch!

'En je weet wie hier de held zijn, toch, Mitchie?' vroeg hij.

'Niemand anders dan wij, man.'

'Zo is het maar net. Wij hebben het gedaan. We zijn twee echte Amerikaanse helden!'

HOOFDSTUK 7

Het was een compleet gekkenhuis bij Taberna del Alabardero. Dit was niet zomaar een moordaanslag. Dat was al duidelijk voordat ik uit de auto was gestapt. Op de radio was gemeld dat de aanslag van grote afstand was gepleegd, dat er geen schutter was gezien en dat er geen schoten waren gehoord. En dan de slachtoffers! Congreslid Victor Vinton was dood, evenals Craig Pilkey, een bekende lobbyist uit het bankwezen die hun beiden recentelijk nog een plek op de voorpagina's had bezorgd. Deze moorden vormden een schandaal binnen een schandaal. Het was gedaan met de rustige dagen bij Moordzaken.

De vermoorde mannen waren beiden onderwerp van een federaal onderzoek naar manipulaties binnen de financiële dienstverlening: ze werden verdacht van achterkamerdeals en het spekken van de campagnekas en hadden ervoor gezorgd dat bepaalde mensen rijk – nóg rijker – werden terwijl de middenklasse in recordtempo huizen kwijtraakte. Het was niet moeilijk voor te stellen dat er mensen, heel véél mensen, waren die Vinton en Pilkey dood wensten.

Maar het motief was niet mijn eerste zorg; dat was de methode. Waarom een geweer met zo'n lang bereik, en hoe had de schutter in een drukke straat midden in de stad onopgemerkt schoten kunnen lossen?

Toen mijn vriend en collega John Sampson en ik de stoep onder de luifel voor het restaurant op stapten, lagen de twee lijken al onder een laken. De MPD was er al, de FBI was onderweg. In DC betekent veel aanzien veel druk, en binnen het gele afzettape was de spanning te snijden.

Er was er nog een van ons, Mark Grieco, van Third District, en we wisselden uit wat we tot zover wisten. Met al het lawaai in de straat moesten we schreeuwen om elkaar te kunnen verstaan.

'Hoeveel getuigen hebben we?' vroeg Sampson.

'Minstens tien,' zei Grieco. 'We hebben ze allemaal naar binnen gestuurd, de een is nog meer van streek dan de ander. Maar niemand heeft de schutter gezien.'

'Hoe zit het met de schoten?' schreeuwde ik in Grieco's oor. 'Weten we vanwaar ze zijn gelost?'

Hij wees over mijn schouder naar 18th Street. 'Helemaal daarvandaan – het is toch niet te geloven? Het gebouw wordt nu afgezet.'

Op de noordhoek van K Street, een paar straten verderop, stond een gebouw waar een renovatie aan de gang was. Alle verdiepingen waren donker, behalve de hoogste, waar ik met enige moeite mensen kon zien rondlopen.

'Doe normaal,' zei ik. 'Hoe ver is dat?'

'Dik tweehonderd meter – meer misschien,' gokte Grieco. We liepen met z'n drieën die kant op.

'Je zei twee kogels door het hoofd?' vroeg ik onderweg. 'Klopt dat?'

'Inderdaad,' antwoordde Grieco somber. 'Midden in de roos. Iemand wist precies wat hij deed. Ik hoop niet dat hij nog in de buurt is en ons in de gaten houdt.'

'Iemand met de juiste uitrusting ook,' zei ik. 'Gezien de afstand.'

Toen we dichter bij het gebouw waren, zag ik in een van de bovenste ramen bij de hoek een kleine cirkel van licht. Met een demper, met een suppressor misschien zelfs, kon de schutter volkomen onopgemerkt gebleven zijn; hij hoefde helemaal niet in de buurt van de plaats van handeling te komen.

Ik keek over mijn schouder. Vanaf hier kon ik het restaurant niet eens meer zien – alleen de rode en blauwe lichten aan de gevels eromheen waren zichtbaar.

De modus operandi – de afstand, de onmogelijke hoek, de moorden zelf (niet één perfecte aanslag, maar twee, en dat in zo'n drukke omgeving) – getuigde van lef. Ze wilden ons imponeren, en strikt professioneel gesproken was ik ook wel aardig onder de indruk.

Maar er nestelde zich ook een rotgevoel in mijn maag. Die pleuris waar ik aan had gedacht was net uitgebroken.

HOOFDSTUK 8

Toen ik weer thuis was, liep ik zachtjes naar boven, voorzichtig de krakende treden van de trap vermijdend. Het was iets na halftwee in de morgen, maar in de keuken rook het nog steeds naar chocoladekoekjes. Die waren voor Jannie, ze had de volgende dag iets te vieren op school. Ik was tevreden dat ik wist dat ze een of andere plechtigheid had, maar er ging één punt af omdat ik niet wist waar het feest voor was.

Ik pikte een koekje – het was heerlijk, met een vleugje kaneel in de chocola – en trok mijn schoenen uit voordat ik naar de slaapkamer sloop.

Vanaf de overloop zag ik dat Ali's licht nog brandde, en toen ik in zijn kamer keek, zag ik dat Bree op een stoel naast zijn bed in slaap was gevallen. Hij was wat koortsig geweest en ze had de oude, leren armstoel die ook als wasmand dienstdeed uit onze kamer gehaald.

Op haar schoot lag een bibliotheekexemplaar van *De muis en de motorfiets*.

Ali's voorhoofd voelde koel aan, maar hij had de dekens van zich afgetrapt. Zijn beer, Truck, lag ondersteboven op de vloer. Ik stopte hen allebei weer in.

Toen ik het boek van Bree wilde pakken, verstevigde ze haar greep.

'En ze leefden nog lang en gelukkig,' fluisterde ik in haar oor.

Ze glimlachte maar werd niet wakker, alsof ik me een weg haar droom in had gebaand. Op die fijne plek wilde ik best zijn, dus stak ik mijn handen onder haar knieën en armen en droeg haar naar ons bed.

Het was verleidelijk om haar uit haar pyjama te helpen, maar ze lag daar zo mooi en vredig dat ik niet het hart had er iets aan te veranderen. Daarom ging ik naast haar liggen kijken hoe ze sliep. Ook fijn. Maar ik kon niet verhinderen dat mijn gedachten terugdreven naar de moordzaak, naar wat ik net had gezien.

En het was ook onmogelijk niet terug te denken aan die donkere dagen in 2002, de laatste keer dat ik van een dergelijk misdrijf getuige was geweest. Het woord scherpschutter raakt bij veel inwoners van Washington een gevoelige snaar, ook bij mij. Tegelijkertijd waren er een paar alarmerende verschillen wat betreft de vakkundigheid van de schutter. Ik had ook de indruk dat deze moorden veel berekender waren. Na een tijdje viel ik goddank toch in slaap. Niet omdat ik schapen, maar omdat ik lijken had geteld.

HOOFDSTUK 9

Toen ik om halfzes beneden kwam had Nana Mama de *Washington Post* al op de keukentafel uitgespreid. De dubbelmoord stond op de voorpagina, boven de vouw: SCHERPSCHUTTER LAAT TWEE DODEN IN CENTRUM ACHTER. Ze tikte twee keer met een benige vinger op de kop, alsof ik hem anders zou missen.

'Ik ga niet beweren dat zulke hebberige mensen het verdienen te sterven,' zei ze eerlijk tegen me. 'Het is verschrikkelijk. Maar dit waren geen engeltjes, Alex. Het zal mensen ook voldoening geven. Als je dat maar goed beseft.'

'Jij ook een goedemorgen.'

Ik boog me voorover om haar op haar wang te kussen en legde intuïtief een hand op de mok thee die voor haar stond. Een koude mok hield in dat ze al een hele tijd op was, en deze voelde lauw aan. Ik ben heus niet overbezorgd, maar ik probeer ervoor te zorgen dat ze genoeg slaapt, temeer omdat ze vorig jaar een hartaanval heeft gehad. Het lijkt weer goed met haar te gaan, maar Nana is wel al in de negentig.

Ik schonk koffie in een thermosbeker en ging even zitten om de krant door te bladeren. Ik wil altijd weten wat een moordenaar over zichzelf kan lezen. Het artikel sloeg ferme taal uit en zat er in een aantal belangrijke opzichten naast. Ik heb me er nooit iets van aangetrokken als zogenaamd slimme mensen idiote dingen beweren, en dit was weer een schoolvoorbeeld van een bericht dat genegeerd diende te worden.

'Het is natuurlijk hoe dan ook hypocriet tot en met,' vervolgde Nana, die blijkbaar op stoom begon te raken. 'Iemand wordt op heterdaad met zijn hand in de koekjestrommel betrapt en meteen beweert de hele wereld dat hij de enige is die ooit iets verkeerd heeft gedaan. Dacht je dat dat congreslid de eerste en de laatste was die hier in Washington steekpenningen aannam?'

Ik bladerde de krant door tot ik het vervolgartikel had gevonden. 'Op optimisme moet je zuinig zijn, Nana.'

'Niet zo bijdehand, zo vroeg op de morgen,' zei ze. 'Trouwens, ik bén een optimist, maar wel een die haar ogen wijd openhoudt.'

'Maar ze zijn toch niet de hele nacht open gebleven?' vroeg ik een beetje onhandig. Naar Nana's gezondheid vragen was net zoiets als proberen kinderen groenten bij hun hamburger te laten eten. Je moet het heimelijk doen, anders kom je nergens – meestal kom je hoe dan ook nergens.

Om zonneklaar te maken dat ze me wel had gehoord maar dat ik genegeerd zou worden, verhief ze haar stem.

'Ik heb nog een essentiële vraag voor je. Waarom zijn de slachtoffers van een moord in deze stad altijd óf arm en zwart, óf rijk en blank? Waarom, Alex?'

'Helaas heb ik nu niet genoeg tijd om dat uit te kunnen leggen,' zei ik en duwde mijn stoel naar achteren.

Ze probeerde me bij mijn arm te pakken. 'Waar moet jij zo vroeg naartoe? Laat me een eitje bakken – en waar gaat die krant heen?'

'Ik ga nog even op het politiebureau achter wat gegevens aan voordat ik de eerste getuigen hoor,' zei ik. 'En waarom hou jij het niet bij de roddelrubriek?'

'O, wou jij soms zeggen dat er in Hollywood geen racisme is? Word eens wakker, knul.'

Ik lachte, kuste haar gedag en pikte nog een chocoladekoekje van tafel – en dat alles in één beweging.

'Zo ken ik je weer. Fijne dag, Nana. Ik hou van je!'

'Niet neerbuigend doen, Alex. En ik hou ook van jou.'

HOOFDSTUK 10

Halverwege de ochtend zat ik bij Sid Dammler, een van de twee vennoten van Dammler-Mickelson, een lobbygroep uit L Street. Craig Pilkey was een van hun succesvolste regenmakers – zo worden lobbyisten in de wandelgangen genoemd. Hij had het afgelopen jaar elf miljoen opgehaald. Ze zouden hem missen, linksom of rechtsom.

Tot dan toe was de officiële reactie van het bureau dat ze 'van enig misdrijf van het personeel niets wisten'. In Washington was dat codetaal voor 'hij wordt gedekt, maar niet tot in de rechtszaal'.

Niet dat ik op voorhand al een vooroordeel tegen Dammler had. Dat kreeg ik pas nadat ik veertig minuten in de receptie op hem had staan wachten en daarna nog twintig minuten lang zijn eenlettergrepige, nietszeggende antwoorden had aangehoord terwijl hij erbij zat alsof hij nog liever een wortelkanaalbehandeling zou ondergaan – of liever nog, alsof hij er op dat moment een kréég.

Ik had van tevoren al wat informatie verzameld: voordat hij tot de staf van D-M toetrad, had Craig Pilkey, geboren in Topeka in Kansas, er drie termijnen van twee jaar in het Congres op zitten, en daar had hij een reputatie als spreekbuis van de bankwereld opgebouwd. Zijn officieuze bijnaam in het Congres was 'de redereguleringsman' en hij had maar liefst vijftien verschillende wetsvoorstellen ingediend of ondersteund die de mogelijkheden van kapitaalverschaffers moesten vergroten.

Volgens de website van D-M was Pilkey erin gespecialiseerd financiële dienstverleners 'door de federale regering te loodsen'. Op het moment van zijn dood was een coalitie van twaalf middelgrote nationale banken, die in totaal zeventig miljard aan activa vertegenwoordigden, verreweg zijn grootste cliënt. De bijdragen van die banken aan de campagnekas van het andere slachtoffer, congreslid Vinton, waren onderwerp van een federaal onderzoek.

'Waarom vertelt u me dit allemaal over Craig en Dammler-Mickelson?' vroeg Sid Dammler, in het midden latend of hij nieuwe feiten had gehoord.

'Omdat ik me, en dat zeg ik met alle respect, kan voorstellen dat er mensen zijn die de dood van Craig Pilkey met instemming zullen begroeten,' zei ik.

Dammler keek zeer beledigd. 'Dat is een walgelijke uitspraak.'

'Wie zou hem dood willen hebben? Enig idee? Ik weet dat er bedreigingen zijn geweest.'

'Niemand. In godsnaam!'

'Dat kan ik me nauwelijks voorstellen,' zei ik. 'U draagt niet bepaald bij aan ons onderzoek.'

Dammler stond op. Zijn rode gezicht en nek staken fel af tegen het witte boord van zijn overhemd. 'Dit gesprek is afgelopen,' zei hij.

'Gaat u zitten,' zei ik. 'Alstublieft.'

Ik praatte pas verder toen hij weer zat.

'Ik begrijp best dat u uw critici niet meer zendtijd gunt dan ze al gehad hebben,' zei ik. 'U heeft een pr-bedrijf, dat snap ik. Maar ik ben geen journalist van de *Post*. Ik wil weten wie Craig Pilkeys vijanden waren – en probeer me niet wijs te maken dat hij die niet had.'

Dammler leunde met zijn handen achter zijn hoofd achterover. Het leek alsof hij erop wachtte geboeid te worden afgevoerd.

'U zou kunnen beginnen met de Vereniging van Huiseigenaren,' zei hij ten slotte. 'Daar waren ze niet bepaald dol op Craig.' Hij zuchtte en keek op zijn horloge. 'Dan hebben we nog de hele consumentenlobby en alle gestoorde bloggers en anonieme hatemailschrijvers. Zeg het maar. En praat ook eens met Ralph Nader, als u toch bezig bent.'

Ik negeerde zijn sarcasme. 'Is deze informatie al nagetrokken?'

'Voorzover het onze cliënten betreft, zeker. Maar als u geen huiszoekingsbevel heeft, peins ik er niet over u in ons systeem toe te laten. Het is privé. Vertrouwelijk.'

'Ik dacht al dat u er zo over zou denken,' zei ik en legde twee formulieren tussen ons in op het bureau. 'Eén voor alle bestanden, één voor alle e-mails. Ik wil op Pilkeys kamer beginnen. Gaat u mij voor of moet ik hem zelf zoeken?'

HOOFDSTUK 11

Geachte klootzak,
Ben je blij met jezelf? Ik hoop dat JIJ op een dag JOUW baantje en
JOUW huis verliest. Dan begrijp je misschien wat je onschuldige
mensen hier in de echte wereld aandoet.

Veel, heel veel brieven zagen er ongeveer zo uit. Niet verbazingwekkend. Mensen worden kwaad. En dan worden ze onvrien-
delijk. De schrijvers waren boos, teleurgesteld, dreigend, gebroken,
gestoord. Het hele gamma kwam erin voor. Mijn bevelschrift
was tot tien uur 's avonds van kracht, maar ik had tot diep in de
nacht in Pilkeys kantoor hatemail kunnen lezen.

Na een tijdje had ik genoeg van het langzaam voorbijlopende
personeel, dus deed ik de deur dicht en bleef sorteren.

De mail kwam uit het hele land, maar vooral uit Pilkeys thuis-
staat Kansas. Het waren verhalen van daklozen, van mensen die
hun levensverzekering hadden verloren, gezinnen die uiteen-
gereten waren – mensen van de meest diverse pluimage hadden van de financiële crisis te lijden gehad en gaven K Street en
Washington de schuld.

De entries op blogs, degene althans die D-M had opgespoord,
waren radicaler van toon en neigden meer naar het politieke dan
naar het persoonlijke. Eén groep, het Centrum voor Publieke
Rekenschap, leek de aanval te leiden. Ze hadden een vaste co-
lumn die *Verzet tegen de macht* heette – althans, *ze*, het kon na-

tuurlijk ook gewoon een of andere vent ergens in een kelder zijn. De laatste entry heette 'Robin Hood op z'n kop: van de armen stelen, aan de rijken geven'.

Met het vrijemarktprincipe als anti-aanbaklaag heeft dat vriendenclubje uit Washington – de lobbyisten uit het bankwezen en onze eigen volksvertegenwoordigers – de ene na de andere blanco cheque voor maatjes in het bedrijfsleven uitgeschreven. Ja, uitgerekend de mensen die de economie van dit land eigenhandig op haar knieën hebben gekregen, krijgen op Capitol Hill een koninklijke behandeling. En wie draait ervoor op? Jullie. Het zijn jullie belastingcenten. In mijn boek noem ik dat diefstal, we worden voor onze ogen bestolen.

Klik hier voor de privéadressen en telefoonnummers van een aantal van de brutaalste roofridders van DC. Bel hen tijdens etenstijd en vertel wat u ervan denkt. Beter nog, wacht tot ze er niet zijn, breek in en help uzelf aan wat geld; u heeft er hard genoeg voor gewerkt. Dan weten we meteen hoe zíj dat vinden.

Wat me daar in Pilkeys kamer eigenlijk nog het meest verbaasde, was dat hij zoveel persberichten had verzameld over het schandaal waarin hij zelf de hoofdrol speelde. Een recent artikel lag nog in een onbeschreven mapje op zijn bureau. Het was een opiniestuk uit de *New York Times*:

Pilkey en Vinton staan centraal in een onderzoek dat ongetwijfeld veel tijd in beslag gaat nemen, niets gaat bewijzen, niemand verantwoordelijk gaat stellen en tot geen enkel resultaat leidt als het gaat om de bescherming van degene om wie het allemaal zou moeten draaien – Jan Modaal, die maar moet zien hoe hij de eindjes aan elkaar knoopt.

Pilkey had dus geen gebrek aan mensen die hem haatten, maar dat was te verwachten. We hadden hier het tegendeel van geen enkele aanwijzing. Ik had het ene puntje van een ijsberg na het andere gezien. Ik markeerde alles waarin een specifiek dreigement werd geuit, maar de lijst van verdachten werd onmogelijk lang.

Eén ding werd me in ieder geval wel duidelijk: we hadden een groter team nodig.

HOOFDSTUK 12

Denny haatte de daklozenopvang op 13th Street met een passie die aan moordzucht grensde, en deze avond haatte hij de opvang meer dan ooit. Het was echt goed klote om op de stoep in de rij te moeten staan voor een bed terwijl het in de rest van de stad gonsde van de geruchten over de twee perfect uitgevoerde scherpschuttermoorden op 18th Street. Kicken! En wat zonde van een prachtige avond waarop hij en Mitch een feestje zouden moeten vieren!

Natuurlijk, het was meer dan ooit van belang om nu niet van hun vaste gewoontes af te wijken. Dat zouden ze dan ook niet doen.

Mitch volgde hem zoals gebruikelijk op de voet en schudde met zijn hoofd en wipte met zijn knie, wat hij altijd deed als hij in zijn nopjes was. Daardoor zag hij eruit als het zoveelste hopeloze geval dat deze plek zijn thuis noemde, wat prima was – zolang die popiejopie maar wel zijn mond hield.

'Met niemand praten,' herinnerde Denny hem er nog een keer aan toen ze als een legertje zombies achter elkaar aan naar de slaapzaal liepen. 'Leg je hoofd op het kussen en probeer wat te slapen.'

'Ik hou echt mijn mond wel, Denny, heus, maar ik kan je één ding wel vertellen, ik zou nu heel wat liever aan een Jim Beam zitten te nippen.'

'Morgen barst het feest los, Mitchie. Beloofd.'

Denny liet Mitch voor de verandering eens op het onderste

matras slapen; hij nam zelf het bovenste, zodat hij de boel als vanuit een kraaiennest in de gaten kon houden.

Maar toch stond Mitch niet lang nadat het licht was uitgegaan alweer naast zijn bed. Wat nu weer?

'Waar ga je heen?' fluisterde Denny.

'Ik moet pissen. Ik ben zo terug.'

Denny was niet zozeer paranoïde als wel extra voorzichtig. Hij ging zitten, wachtte even en volgde Mitch – gewoon voor alle zekerheid.

Het was stil in de slaapzaal. Het was vroeger een school geweest, en in de kluisjes hadden de kinderen lunches, schooltassen en wat al niet meer bewaard. Nu werden ze gebruikt door volwassenen die zich vastklampten aan het laatste wat ze op deze wereld bezaten.

En wat was die wereld naar de kloten!

In de badkamer stonden alle douches aan terwijl er niemand onder stond. Dat voorspelde niet veel goeds. Helemaal niet zelfs.

Hij liep om het muurtje naar de ruimte met de wastafels en zag dat twee grote kerels Mitch tegen de muur drukten. Hij herkende hen onmiddellijk – het waren Tyrone Peters en Cosmo Lantman, alias 'Gabbertje'. Uitgerekend het soort tuig dat ervoor zorgde dat de fatsoenlijke daklozen liever op straat sliepen dan een risico te lopen door naar een van deze opvangtehuizen te komen. Mitch' zakken waren binnenstebuiten gekeerd, er lagen nog een paar kwartjes op de tegels rond zijn voeten.

'Wat is het probleem?' vroeg Denny.

'Er is geen probleem.' Tyrone nam niet eens de moeite zich naar hem om te draaien. 'Oprotten jij!'

'Dat dacht ik niet.'

Cosmo keek hem nu dreigend aan en liep langzaam naar hem toe. Zijn handen leken leeg, maar het was duidelijk dat hij iets in zijn handpalm verborg.

'Wou je soms meedoen? Goed, dan doe je mee.' Hij zette zijn duim en wijsvinger op Denny's strot, stak een sikkelvormig lemmet in de lucht en hield het vlak onder zijn neus. 'Goed, eens even kijken wat jij bij kunt dragen...'

In een flits omklemde Denny's hand de pols van die klootzak. Hij draaide hem bijna driehonderdzestig graden om, zodat Cosmo voorover moest buigen om te voorkomen dat zijn arm zou breken. Toen was het een fluitje van een cent om Gabbertje met zijn eigen mes te steken, drie snelle stoten in zijn reet, niet meer dan een waarschuwing – in de lever had ook gekund. Gabbertje lag op de grond en bloedde als een rund.

Intussen was Mitch ontploft. Hij had zijn armen om het middel van de veel grotere Tyrone geslagen en hem opgetild en zo naar de tegenovergelegen muur getild. Tyrone deelde twee snelle directes uit en het bloed spoot uit Mitch' neus, maar die klootzak liet de linkerkant van zijn gezicht wagenwijd openliggen. Mitch zag het en plantte de muis van zijn hand er vol in, waardoor Tyrone om zijn as draaide. Voor de goede orde nam Denny hem in zijn val nóg een keer te pakken: hij gaf hem een zwiep, waardoor zijn gezicht halverwege de vloer ook nog tegen de wasbak sloeg. Er bleven een paar tanden achter, en, op het vuile porselein, een dikke, rode veeg.

Ze pakten Mitch' geld terug, plus wat Tyrone en Cosmo verder nog bij zich hadden. Vervolgens trok Denny hen ieder een douchehok in.

'Die klootzakken weten niet wie ze voor zich hebben!' pochte Mitch in de hal. Zijn ogen glansden – en dat terwijl het bloed over zijn lippen op zijn shirt droop.

'Laten we dat vooral zo houden,' zei Denny. Het was zijn bedoeling geweest dat ze in de opvang gezien werden, maar die missie was meer dan geslaagd. 'Weet je wat? Pak je spullen maar. Laten we die fles Jimmy Beam gaan halen.'

HOOFDSTUK 13

Zoals zoveel wetshandhavers was FBI-agent Steven Malinowski gescheiden. Hij woonde in een vanbuiten keurig maar vanbinnen enigszins treurig boerderijtje in Hyattsville in Maryland, en daar woonde hij alleen, met uitzondering van de dagen waarop zijn twee dochters bij hem waren: eens in de twee weken een weekend en één maand in de zomer.

Er was dus niet veel om voor thuis te komen, en hij reed die nacht dan ook pas om halftwaalf zijn oprit op. Toen hij uit zijn Range Rover stapte, liep hij niet helemaal recht meer – hij had een paar biertjes gedronken, en twee borrels ernaast – maar hij was niet dronken. Hooguit aangeschoten, zoals je aangeschoten bent als je met je vrienden op stap bent geweest.

'Hé, Malinowski!'

Er ging een schok door het lichaam van de agent en hij greep naar de holster onder zijn jas.

'Niet schieten. Ik ben het.' Kyle kwam vanachter de garagemuur tevoorschijn en liep precies zo ver het licht van de straatverlichting in dat Malinowski zijn gezicht kon zien. 'Max Siegel, Steve.'

Malinowski tuurde in de duisternis. 'Siegel? Wat doe jij verdomme...?' Hij liet zijn jas weer over zijn holster vallen. 'Ik schrik me lam. Wat kom jij hier doen? Hoe laat is het eigenlijk?'

'Zullen we binnen verder praten?' vroeg Kyle. Malinowski en Siegel hadden elkaar een jaar of drie geleden voor het laatst gesproken; de stem moest lijken, maar hoefde niet perfect te zijn. 'Ik loop wel even achterom, oké? Dan kun je me daar binnenlaten.'

51

Malinowski keek de straat af. 'Ja, ja. Natuurlijk.' Tegen de tijd dat hij Siegel door de schuifdeur binnenliet, had hij het buitenlicht uitgedaan en de luxaflex neergelaten. Alleen de verlichting in de afzuigkap boven het gasfornuis brandde.

Hij legde zijn wapen in een keukenlaatje, pakte twee pijpjes uit de koelkast en gaf er een aan Siegel.

'Zeg op, Siegel. Hoe is het? Wat doe je hier zo laat?'

Kyle sloeg het biertje af. Als het even kon wilde hij niets aanraken.

'Mijn hele operatie is de mist in gegaan,' zei hij. 'Ik weet niet hoe, maar ze hebben me ontmaskerd. Ik kon nog maar één ding doen, en dat was terugkomen.'

'Je ziet er beroerd uit. Die blauwe plekken onder je ogen...'

'Je had me een week geleden moeten zien. Ik ben door een paar jongens van Arturo Buenez te grazen genomen.' Kyle klopte op de legergroene duffel op zijn rug. Daar zaten het stroomstootwapen en de waterzak in, met een dikke deken eromheen gewikkeld. 'Dit is alles wat ik heb kunnen meenemen.'

'Waarom heb je geen bericht verstuurd?' vroeg Malinowski, en dat was het enige waar Kyle niet achter was gekomen: wat Max Siegel in geval van nood moest doen om zijn contactman te bereiken.

'Ik mag blij zijn dat ik überhaupt wist weg te komen,' zei hij. 'Ik heb me in Florida schuilgehouden tot ik hiernaartoe kon komen. In Fort Myers, Vero Beach, Jacksonville.'

Misschien kwam het door de biertjes, maar Malinowski had niet door dat zijn vraag niet werd beantwoord. Hoe moest hij dat ook weten? Hij kende het antwoord niet.

'Met wie moet ik verder nog contact opnemen?' vroeg Kyle.

De agent schudde zijn hoofd. 'Met niemand.'

'Niet met de DEA? Of iemand in DC?'

'Er is niemand, Siegel. Je was daar in je eentje.' Plotseling keek hij hem aan. 'Waarom weet je dat niet?'

'Kom op, man. Ik ben volkomen naar de kloten. Kijk maar.'

Kyle deed een stap naar voren, naar Malinowski, die met zijn rug tegen het gasfornuis aan leunde. 'Echt, kijk eens goed naar me. Wat zie je?'

Malinowski glimlachte meelevend. 'Je hebt rust nodig, Max. Het is heel goed dat je hier bent gekomen.'

Die vent had echt niets door. Het was te leuk, hij kon er nog niet mee stoppen. 'Ik heb Kyle Craig gezien, Steve.'

'Wat? Wacht even, dé Kyle Craig?'

Kyle spreidde zijn armen en glimlachte. 'Dé Kyle Craig. In levenden lijve.'

'Ik begrijp het niet. Hoe kan dat in godsnaam...?'

Het was alsof je aan Malinowski's gezicht kon zien dat hij een rekensommetje maakte. En juist op het moment dat hij het goede antwoord had uitgerekend, kwam Kyle in actie. Voordat Malinowski het wist had Kyle zijn Glock tevoorschijn gehaald en hem tegen Malinowski's kin gezet.

'Het is ongelooflijk wat ze vandaag de dag met plastische chirurgie kunnen,' zei hij.

Malinowski's half opgedronken bier kletterde op de vloer. 'Waar heb je het over? Dit is... onmogelijk!'

'Ik ben voor 99,99 procent zeker dat het wel mogelijk is,' zei Kyle. 'Tenzij ik me dit allemaal maar inbeeld. Beschouw het als een eer, Steve. Je bent de eerste en de laatste die weet dat ik er nu zo uitzie. En? Voel je je vereerd?' Malinowski bewoog niet, dus drukte hij de Glock wat verder in zijn gezicht. 'Nou?'

Nu knikte hij.

'Zeg het, alsjeblieft.'

'Ik ben... vereerd.'

'Mooi zo. Dan zal ik je nu vertellen wat we gaan doen. We verkassen naar je badkamer en jij stapt in dat smerige bad dat je nooit schoonmaakt.' Kyle klopte nog een keer op zijn duffel. 'Dan pak ik uit, en gaan jij en ik nog wat babbelen. Ik wil een paar dingen over Max Siegel weten.'

53

HOOFDSTUK 14

Hij wachtte nog twee dagen; hij bleef een paar nachtjes in de omgeving van DC en maakte een wip in het Princess Hotel. Toen kwam Kyle vanuit het niets als Max Siegel aanzetten.

Het gaf een ongelooflijke kick om in Siegels nieuwe, geleasde BMW het vertrouwde wachthuisje te passeren en de parkeergarage van het Hoover-gebouw binnen te rijden. Je kon geen veiligheidsmaatregel verzinnen of hij was genomen, en daar zaten ze dan, en ze gebaarden naar de man die boven aan hun lijst van meestgezochte personen prijkte dat hij het hoofdkwartier van de FBI binnen mocht rijden.

Geweldig.

Siegels identiteitsbewijs verschafte hem toegang tot de vierde verdieping. Ze hadden een ontmoeting in een vergaderkamer van het Strategisch Informatie en Operatie Centrum, SIOC, die op Pennsylvania Avenue uitkeek – twee vertegenwoordigers van de afdeling Georganiseerde Misdaad, een van het Directoraat Inlichtingen en twee adjunct-directeuren van het hoofd- en het bijkantoor in DC.

Het leek erop dat adjunct-directeur Patty Li de zitting voorzat. 'Ik weet dat u een zware tijd achter de rug heeft, agent Siegel, maar er is iets wat u moet weten. Twee dagen geleden is uw oorspronkelijke contactpersoon, Steven Malinowski, overleden.'

Kyle behield zijn professionele houding en toonde niet meer dan de juiste hoeveelheid emotie. 'Mijn god! Wat is er met Steve gebeurd?'

'Het lijkt erop dat hij thuis onder de douche een hartaanval heeft gekregen.'

'Ongelooflijk. Ik was gisteren bij zijn huis. Ik heb bij hem aangebeld.' Hij zweeg en wreef over het gezicht dat hem een vermogen had gekost – de steracteur in actie.

'Het is heel goed dat u direct contact met ons heeft opgenomen,' zei Li. 'Zodra u uw rapport heeft geschreven en u uw debriefing heeft gehad, stuur ik u met administratief verlof...'

'Nee.' Kyle ging rechtop zitten en keek Li recht aan. 'Neemt u me niet kwalijk, maar dat is het laatste wat ik nodig heb. Ik ben klaar om weer aan de slag te gaan.'

'U moet acclimatiseren. Slaap uit, ga naar een wedstrijd, wat dan ook. U bent twee jaar lang iemand anders geweest. Dat eist zijn tol.'

De hele kwestie was als fantastisch eten, geweldige seks en met honderdtwintig kilometer per uur en de lichten uit door het donker scheuren – en dat allemaal tegelijkertijd. En het mooist van alles was dat deze even vriendelijke als onwetende uilskuikens alles voor zoete koek slikten.

'Met alle respect,' zei hij tegen iedereen in de kamer, 'maar ik hoop dat mijn staat van dienst voor zichzelf spreekt. Jullie mogen testen of ik voor actieve dienst geschikt ben, als jullie dat willen. Ik wil werken. Geloof mij maar, dat is alles wat ik nodig heb.'

Er werden blikken uitgewisseld. Een van de jongens van Narcotica haalde zijn schouders op en sloeg het dossier van P&O dat voor hem lag dicht. Dit was Li's beslissing.

'Wat had u, in het hypothetische geval dat, in gedachten?' vroeg ze.

'Naar mijn mening ben ik klaar voor een leidinggevende positie,' zei hij tegen haar, en hij had gelijk. 'Dat wil ik.'

'Een leidinggevende positie? Dus uw ambities bent u niet kwijtgeraakt.'

'Bovendien wil ik graag hier in Washington werken, op het lokale kantoor. Ik denk dat ik hier de meeste schade kan aanrichten,' zei hij met een vleugje zelfrelativering, om ervoor te zorgen dat hij hen aan boord hield.

Vandaag kreeg hij nog geen toezegging, maar Kyle wist dat het zo goed als rond was. En de plaatsing bij het FBI-kantoor in Washington, die hij niet eens strikt noodzakelijk vond, was mooi meegenomen.

Het lokale FBI-kantoor zat in een gebouw aan Judiciary Square, op een steenworp afstand van het Daly-gebouw. Het scheelde weinig of hij en Alex konden een touw met een paar blikjes eraan tussen hun kamers hangen en briefjes naar elkaar trekken. Was dat niet grappig?

Nu was het alleen nog maar een kwestie van tijd voordat ze elkaar weer zouden tegenkomen.

HOOFDSTUK 15

Ik offerde twee kaartjes voor de Washington Nationals op en bood ze de afdeling Vingerafdrukken aan in ruil voor snelle resultaten in de scherpschuttermoordzaak. De volgende ochtend had ik de uitslagen binnen. Er was één vingerafdruk gevonden op het verder brandschone glas waardoor de schoten waren gelost. En die bleek overeen te komen met twee andere vingerafdrukken die op de locatie waren gevonden – een op een trapleuning tussen de zevende en achtste verdieping, en nog een op de paniekstang van de nooduitgang op de begane grond, waardoor de schutter vrijwel zeker naar buiten was gegaan.

Dat was het enige goede, althans, interessante nieuws. Het slechte nieuws was dat de afdruk niet in het identificatiesysteem voorkwam. Onze veronderstelde moordenaar had dus geen strafblad dat ons in de richting van zijn arrestatie kon helpen.

Daarom vergrootte ik mijn netwerk. Een tijdje terug was ik in verband met een zaak tegen een seriemoordenaar die zichzelf 'de Tijger' noemde in Afrika geweest. Tijdens dat onderzoek raakte ik bevriend met een man die Carl Freelander heette. Hij zat in de inlichtingendienst van het leger en werkte samen met de FBI in Lagos in Nigeria, voor een gezamenlijke antiterreureenheid. Ik hoopte dat Carl me met een paar kwesties in dit onderzoek verder kon helpen.

Het was in Lagos laat in de middag toen ik Carl op zijn mobiele telefoon te pakken kreeg.

'Carl, je spreekt met Alex Cross, uit Washington. Vind je het goed als ik je eerst mijn vraag stel en we daarna bijkletsen?'

'Prima, Alex, maar dan zonder het bijkletsen, als je het niet erg vindt. Wat kan ik voor je doen?' Dit was een van de redenen dat ik Carl graag mocht; hij werkte op dezelfde manier als ik.

'Ik heb een vingerafdruk in een moordzaak – twee dodelijke schoten op tweehonderdveertig meter afstand. Het is duidelijk dat die vent is opgeleid, om van zijn materiaal nog maar te zwijgen, dus vroeg ik me af of er een militaire connectie is.'

'Laat me raden, Alex. Je wilt een hotline naar de civiele database.'

'Zoiets, ja,' zei ik.

'Ja, oké. Ik kan het door de cjis laten doen,' zei hij. 'Dat hoeft niet zo lang te duren.'

cjis staat voor Criminal Justice Information Services, een fbi-afdeling in Clarksburg, West-Virginia, die alle beschikbare informatie over criminelen verzamelt. Weer zoiets geschifts: je belt naar de andere kant van de wereld om toegang te krijgen tot iets wat zo dicht bij huis ligt. Het was niet de eerste keer.

Binnen twee uur belde Carl terug met ontmoedigend nieuws.

'De jongen die jij zoekt is geen Amerikaanse militair, Alex. En hij komt ook niet uit de fbi of de Secret Service. En ik hoop dat je het niet erg vindt, maar toen ik toch bezig was, heb ik hem ook even door het automatische biometrische identificatiesysteem van Defensie gehaald. Hij is nooit door Amerikaanse troepen gearresteerd en hij is geen allochtoon die toegang tot een van onze bases heeft gehad. Ik weet niet of je daar iets aan hebt.'

'Het sluit hoe dan ook een aantal voor de hand liggende mogelijkheden uit. Bedankt, Carl. Als je weer in dc bent...'

'Dan pakken we een borrel. Afgesproken. Ik kijk ernaar uit. Hou je haaks, Alex.'

Vervolgens belde ik Sampson, om het nieuws te delen.

'Maak je geen zorgen, schat, we zijn nog maar net begonnen,' zei hij. 'Misschien komt die vingerafdruk niet eens van onze man. Op de plaats delict stikte het gisteravond van de mensen – en ga er maar gerust van uit dat niet iedereen handschoenen droeg.'

'Nee…' zei ik, maar er wurmde zich al een nieuwe mogelijkheid naar de oppervlakte van mijn gedachten. 'John, stel dat het wel een vingerafdruk van de schutter is, maar dat hij wilde dat we hem zouden vinden? Misschien kickt hij erop dat hij weet dat we onze tijd verdoen…'

'O man, nee. Nee, nee, nee.' Sampson begreep waar ik naartoe wilde.

'En misschien put hij daar nou net dat zelfvertrouwen uit dat hij nodig heeft – voor wanneer het moment is aangebroken om nog een keer toe te slaan.'

HOOFDSTUK 16

Ik stond die middag op de stoep van Penn Branch te wachten tot Bree uit haar werk kwam. Ik verheugde me er enorm op haar te zien, en toen ze eindelijk het gebouw uit kwam, kon ik een grote glimlach niet onderdrukken.

'Wat een verrassing!' zei ze en gaf me een kus – we deden geen poging meer om op het werk strikt zakelijk met elkaar om te gaan. 'Waar heb ik het genoegen aan te danken? Wat een traktatie!'

'Geen vragen,' zei ik en opende het portier voor haar. 'Ik wil je iets laten zien.'

Ik had dit al een tijdje geleden gepland, en ook al bleef het werk zich opstapelen, ik was te koppig om me van mijn voornemen af te laten brengen. Ik reed via North Capitol Street en Michigan naar de Catholic University, waar ik aan het begin van de campus parkeerde.

'Eh… Alex?' Bree keek eerst naar buiten, en daarna bijna recht omhoog. 'Misschien had ik iets preciezer moeten zijn toen we het over een kleine bruiloft hadden.'

De Basilicata of the National Shrine of the Immaculate Conception is een van de tien grootste kerken ter wereld, en wat mij betreft de mooiste van Washington en misschien wel van het land.

'Maak je geen zorgen,' zei ik. 'We lopen alleen even naar binnen. Kom.'

'Goed, Alex. Denk ik.'

De romaans-byzantijnse architectuur binnen is overweldigend, maar het is er bovenal uitermate vredig. De oprijzende bogen geven je een gevoel van nietigheid, en de duizenden kleine gouden mozaïeksteentjes in de kunstwerken vullen bijna ieder hoekje met een soort amberkleurig licht dat ik nergens anders heb gezien.

Ik nam Bree bij haar hand en voerde haar door een van de zijbeuken en het dwarsschip naar het brede deel achterin. Dat heeft aan de achterkant ramen met glas in lood en kijkt aan de voorkant uit op de volle lengte van de kathedraal.

'Bree, mag ik je ring?' vroeg ik haar.

'Mijn ring?'

Ze glimlachte een beetje verbaasd, maar gaf hem toch. Toen knielde ik en pakte haar hand weer.

'Is dit een aanzoek?' vroeg ze. 'Want dan moet ik je iets vertellen, liefje. Dat heb je al gedaan.'

'Maar nu doe ik het voor het aangezicht van God,' zei ik, en ik ademde diep in want ik besefte plotseling dat ik een beetje nerveus was.

'Bree, voordat we elkaar ontmoetten, had ik je niet nodig. Ik vond dat het prima ging, zo – het ging ook prima. Maar nu... Nu sta je hier voor me, en ik denk dat dat een reden heeft.' Ik had niets voorbereid en ik struikelde over mijn woorden, en ik had ook nog een brok in mijn keel. 'Door jou geloof ik, Bree. Ik weet niet of ik kan uitleggen wat dat voor mij inhoudt, maar ik hoop dat je het goed vindt als ik dat de rest van mijn leven probeer uit te leggen. Brianna Leigh Stone, wil je met me trouwen?'

Ze glimlachte nog steeds, maar ik zag dat ze tegen haar tranen vocht. Zelfs nu probeerde Bree stoer te blijven.

'Je weet toch wel dat dit een beetje gek is?' vroeg ze. 'Weet je dat?'

'*If lovin' you is wrong,*' zong ik half fluisterend, '*I don't want to be right.*'

'Goed, goed. Als je maar niet gaat zingen,' zei ze en we lachten als een paar ondeugende kinderen. Maar we lachten door onze tranen heen, allebei.

Bree knielde naast me neer, legde haar hand voozichtig op de mijne en schoof de verlovingsring weer om haar vinger. Toen ze me zachtjes op mijn lippen kuste, voelde ik haar warmte, en er voer een rilling over mijn hele ruggengraat.

'Alexander Joseph Cross, hoe vaak je het me ook vraagt, het antwoord is ja. Dat is het altijd geweest en dat zal het altijd blijven.'

HOOFDSTUK 17

Maar we waren er nog niet, romantische gek die ik was. Van de Immaculate Conception reed ik terug naar het centrum, waar we in het Park Hyatt incheckten. Ik had Nana verteld dat we niet thuis zouden komen.

Nadat de piccolo ons in onze suite alleen had gelaten, keek Bree om zich heen en vroeg ze: 'Alex, hoeveel kost dit wel niet?' Ik had een gekoelde fles Prosecco laten klaarzetten en reikte haar een glas aan. 'Tja, ik weet niet of we Damons opleiding hierna nog wel kunnen betalen... Maar het uitzicht is fantastisch, vind je niet?'

Ik nam plaats achter de kleine vleugel – de ware reden dat ik dit hotel had uitgekozen – en begon te spelen. Ik hield het bij de standaardliefdesliedjes zoals 'Night and Day' en 'Someone to Watch over Me', waar Bree enorm van hield. De zangpartijen liet ik op haar verzoek voor wat ze waren.

Ze zat naast me op de pianokruk te luisteren en van de wijn te nippen. 'Waar heb ik dit aan te danken?' vroeg ze ten slotte.

'O, dat moet nog komen,' zei ik. 'Dat heeft iets met uitkleden te maken. Langzaam. Het ene kledingstuk na het andere.'

Maar eerst lieten we ons daarboven een diner uit de Blue Duck Tavern serveren, en we deelden alles – de sinaasappel-arugula-salade, de verse Ahi-tonijn, de softshell-krab en de vanbinnen warme tweepersoons-chocoladecake.

Bij het dessert trok ik een fles Cristal open, die we daarna in het grote, zandstenen bad verder opdronken.

'Het lijkt wel alsof we al op huwelijksreis zijn. Eerst een kerk, en nu dit,' zei ze.

'Zie het maar als een voorvertoning,' zei ik terwijl ik eerst haar rug en daarna haar lange benen met een stuk lavendelzeep inzeepte. 'Een voorproefje van de toekomst.'

'Hm, die toekomst bevalt me wel.' Ze zette haar mond op mijn schouder en beet zacht, en ik liet mijn handen zonder de zeep verdergaan.

Uiteindelijk gleden we zo vanuit het bad op de vloer en maakte ik van twee dikke hotelhanddoeken een geïmproviseerde berenhuid. De uren daarna probeerden we genoeg van elkaar te krijgen.

Bij het eerste hoogtepunt dat ik Bree bezorgde, hield ze haar hoofd schuin achterover en haar mond open zonder een geluid te maken, terwijl ze me met die verbazingwekkende kracht van haar bij mijn onderrug vasthield.

'Kom dichterbij, Alex. O god, dichterbij, dichterbij!'

En het was alsof niets meer tussen ons in kon komen, letterlijk en figuurlijk. Ik voelde me eindeloos ver van alles verwijderd, behalve van haar, en ik wilde dat die nacht nooit zou eindigen.

Maar dat gebeurde natuurlijk wel – en veel vroeger dan me lief was.

HOOFDSTUK 18

De hoteltelefoon rinkelde precies om middernacht. Pas later besefte ik dat dat geen toeval was geweest. Middernacht is het begin van een nieuwe dag, en zo bedoelde de beller het ook.

'Alex Cross,' zei ik.

'Er gebeurt al zo veel, en dan nog tijd voor romantiek ook? Vertel eens, rechercheur Cross, hoe krijg je dat voor elkaar?'

De stem van Kyle Craig kwam binnen als ijswater, en meteen was alles anders.

'Kyle!' zei ik, voor Bree. 'Hoe lang ben jij al in Washington?'

Ze was al rechtop gaan zitten, maar toen ze de naam hoorde, pakte ze de mobiele telefoon van het nachtkastje en liep ermee naar de badkamer.

'Waarom ga je ervan uit dat ik in Washington ben?' vroeg Kyle. 'Je weet toch dat ik overal oren en ogen heb? Ik hoef ergens niet te zijn om er te zijn.'

'Dat is waar,' zei ik terwijl ik mijn uiterste best deed om mijn stem onder controle te houden. 'Maar voor mij heb je net wat meer aandacht over dan voor anderen.'

Hij lachte zacht. 'Ik wou dat ik kon zeggen dat je jezelf te hoog aanslaat, maar dan zou ik liegen. Vertel eens, hoe gaat het thuis? Hoe is het met Nana Mama? En met de kinderen?'

Het waren geen vragen. Het waren dreigementen, en dat wisten we allebei. Kyle had iets met familie, misschien omdat zijn eigen familie zo'n zootje was. Dat wil zeggen, hij had allebei zijn ouders vermoord, bij twee verschillende gelegenheden. Het enige wat ik kon doen, was rustig blijven en niet happen. Ik onderdrukte mijn woede.

'Waarom bel je, Kyle? Jij doet nooit iets zonder goede reden.'

'Ik heb Damon nergens gezien,' vervolgde hij. 'Hij zit zeker nog op de Cushing Academy, of niet? Die ligt toch pal ten westen van Worcester? En Ali! Die jongen groeit echt als kool!'

Mijn vrije hand greep de rand van het matras. Dat Kyle Craig aan mijn kinderen dacht, was onverdraaglijk.

Maar ik wist dat ik alleen maar olie op het vuur gooide als ik zou dreigen en waarschuwen. Hij had altijd het krankzinnige idee dat hij met mij moest concurreren, en dat 'krankzinnig' bedoel ik letterlijk. Het was bijna onmogelijk geweest hem die eerste keer ten val te brengen.

Hoe kon ik dat in godsnaam opnieuw voor elkaar krijgen?

'Kyle, ik wil dit gesprek niet voeren als ik niet weet waar het naartoe gaat,' zei ik zo vlak als ik maar kon. 'Dus als je me iets wilt vertellen...'

'Stof zijn wij, en tot stof zullen wij wederkeren,' zei hij. 'Dat is geen geheim, Alex.'

'Wat bedoel je daarmee?'

'Je vroeg waar dit naartoe gaat. We zijn stof, en tot stof zullen wij wederkeren, net als al het andere. Natuurlijk overkomt het de een wat sneller dan de ander, nietwaar? Zoals je eerste vrouw, bijvoorbeeld, al kan ik daar de eer niet voor opstrijken.'

En toen ging zijn wens in vervulling – ik hapte, ik verloor mijn zelfbeheersing.

'Luister, stuk stront dat je bent! Blijf uit mijn buurt. Ik zweer bij God, als je...'

'Als ik wat?' kaatste hij net zo venijnig terug. 'Die bespottelijke familie van jou iets aandoe? Je geliefde verloofde van je wegneem?' Zijn stem was onmiddellijk omgeslagen naar pure woede. 'Hoe durf je zo tegen mij te praten? Over wat jij denkt te kunnen houden! Hoeveel levens heb jij al genomen, Alex? Hoeveel gezinnen heb jij met die 9-millimeter van jou kapotgemaakt? Je weet niet eens wat de betekenis van verliezen is, jij vuile hypocriet!'

Ik had hem nog nooit zo tekeer horen gaan. Sterker nog, Kyle vloekte zelden. De Kyle die ik had gekend.

Was hij aan het aftakelen? Of was dit gewoon een van zijn zorgvuldig geplande acts?

'Weet je wat het grootste verschil tussen ons is, Alex?' vervolgde hij.

'Ja, dat weet ik,' zei ik. 'Ik ben nog bij mijn verstand, jij niet.'

'Het verschil is dat ik leef omdat niemand van jullie erin is geslaagd me om te brengen, terwijl jij leeft omdat ik nog niet heb besloten je te doden. Vertel me alsjeblieft niet dat dat voor de hand liggende feit aan jouw aandacht is ontsnapt.'

'Ik ga je niet vermoorden, Kyle.' De woorden rolden nu ongeremd uit mijn mond. 'Ik ga er alleen wel voor zorgen dat je langzaam in je cel in Colorado wegrot. Jij gaat terug.'

'O ja, nu je het zegt...' zei hij – en toen hing hij opeens op. Het was Kyle ten voeten uit, gewoon nog een manier om duidelijk te maken dat híj hiermee was begonnen en dat híj bepaalde wanneer het voorbij was, op zijn manier. Controle was zijn zuurstof.

Plotseling was Bree daar, met haar armen om me heen. 'Ik heb Nana gesproken,' zei ze. 'Alles is in orde, en ze weet dat we naar huis komen. Er is nu een patrouillewagen onderweg.'

Ik stond op en kleedde me zo snel mogelijk aan. Mijn lichaam trilde van woede, en ik was niet alleen kwaad op Kyle.

'Ik heb het verkeerd aangepakt, Bree,' zei ik. 'Helemaal verkeerd. Ik moet me niet zo laten gaan. Dat moet ik echt niet meer doen. Het maakte het alleen maar erger.'

Kon het nog erger worden?

HOOFDSTUK 19

Ik vervloekte hem! Om alles!

Kyle had zijn missie met verve volbracht: hij was er volledig in geslaagd zichzelf weer in mijn leven te injecteren. Hij wist, letterlijk en figuurlijk, hoe hij me kon raken. Ik had geen andere keus dan terug te slaan.

Toen we thuiskwamen, stond er al een politiewagen van de MPD voor de deur, en bij de garage stond een agent in uniform. Sampson was er ook; ik weet niet wie hem had gebeld, maar ik was blij dat hij was gekomen.

'Gaat het, schat?' vroeg hij toen we binnenkwamen. 'Hier is alles in orde.' Hij zat met Nana in de keuken. Het was haar zelfs al gelukt hem een broodje ham en wat chips voor te zetten.

'Dit is voorlopig nog niet voorbij,' zei ik. Het kostte me grote moeite om mijn stem onder controle te houden, de kinderen lagen boven te slapen. 'We moeten overwegen het gezin ergens anders onder te brengen.'

'O ja?' vroeg Nana. 'Is dat zo?' De temperatuur in de kamer daalde een graad of tien.

'Nana...'

'Nee, Alex. Dat doen we niet nog een keer. Met de kinderen doe je maar wat je moet doen. Maar ik meende het toen ik zei dat het de laatste keer was. Ik vertrek niet uit dit huis en daarmee basta.'

Ik wilde antwoorden, maar ze was nog niet klaar.

'En nog iets. Als die Kyle Craig zo goed is als jij beweert, dan

68

doet het er niet toe waar je de kinderen naartoe brengt. Het enige wat er wel toe doet, rechercheur Cross, is dat jij hen beschermt, waar ze ook zijn.' Haar stem trilde, maar de vinger waarmee ze recht naar mijn gezicht wees niet. 'Zorg ervoor dat je je huis beschermt, Alex! Ze zeggen dat je goed bent in je werk.'

Ze sloeg twee keer met een platte hand op de tafel en leunde weer achterover. Ik was aan zet.

Om te beginnen ademde ik diep in en telde tot tien. Daarna vroeg ik Bree onmiddellijk een opsporingsbevel te laten uitvaardigen. 'Zet het op de telex, laat het alle districten weten en licht daarna meteen de FBI in.' We hadden het nummer van het aanhoudingsbevel nodig, en daar ging Sampson achteraan.

Ik belde zelf naar het FBI-kantoor in Denver. Technisch gesproken was Kyle hun zaak, omdat hij in Colorado uit de gevangenis was ontsnapt.

Een agent die Tremblay heette vertelde me dat ze geen nieuwe informatie hadden, maar dat ze alle Midden-Atlantische kantoren zouden inlichten. Deze zaak had ook voor hen de hoogste prioriteit, en niet alleen vanwege de schade die Kyle hun reputatie de eerste keer al had berokkend. Ik had zo'n voorgevoel dat ik de volgende ochtend al iets van Jim Heekin van het directoraat in Washington zou horen.

Ondertussen pleegde ik nog een telefoontje, waarmee ik mijn goede vriend en bij gelegenheid sparringpartner Rakeem Powell wekte.

Rakeem had vijftien jaar bij de politie gezeten en was een rechercheur met een uitstekende staat van dienst. Hij werd in een halfjaar tijd in de echt verbonden en neergeschoten, in die volgorde, en toen ging hij met vervroegd pensioen.

Niemand had gedacht dat Rakeem het politievak vaarwel zou zeggen, maar goed, er was ook niemand die had gedacht dat hij zich ooit zou settelen. Nu had hij zijn eigen bewakingsbedrijf in Silver Spring en stond ik op het punt een klant van hem te worden.

Om een uur of zeven die ochtend hadden we een heel systeem opgezet. De kinderen waren van en naar school onder de pannen, daar zorgden Bree en ik voor, met Sampson als backup. Rakeems bedrijf regelde de beveiliging 's nachts en zorgde zo nodig voor beveiliging overdag. Ze zouden ook meteen beoordelen waar je het huis gemakkelijk kon binnendringen en daar oplossingen voor aandragen voordat de kinderen uit school kwamen. Nana deed haar uiterste best om FBI-agenten in de tuin te laten stationeren, maar daar was ik haar de baas. Zoals mij door haar te verstaan was gegeven, zag ik erop toe dat voor alles werd gezorgd. Zij en ik spraken nauwelijks meer met elkaar, en geen van beiden was er gelukkig mee, maar dit was onze nieuwe realiteit.

We werden belegerd. Kyle Craig was terug in ons leven.

HOOFDSTUK 20

Maar het leven gaat verder, of je er klaar voor bent of niet. Nadat ik de kinderen naar school had gebracht en mijn eerste afspraak van die ochtend had gemist, kwam ik op tijd voor mijn tweede afspraak, in het St. Anthony's. Sinds ik een paar jaar daarvoor mijn privépraktijk had gesloten, verstrekte ik pro bono juridisch advies aan het ziekenhuis. De mensen daar waren extreem behoeftig en konden zich zelfs de meest basale medische zorg niet veroorloven, dus ik was blij dat ik mijn steentje kon bijdragen. Bovendien hielp het me scherp en alert te blijven.

Bronson 'Pop Pop' James kwam met een pooierig loopje mijn werkkamer binnen, cool als altijd. Ik had hem leren kennen toen hij elf was; hij was nu twaalf en zijn wereldbeeld was nóg cynischer geworden.

Sinds ik hem kende, had hij twee vrienden verloren en een groot deel van zijn helden – straatschoffies die nauwelijks ouder waren dan hij – was dood.

Soms had ik het gevoel dat ik de enige persoon was die iets om Bronson gaf. Waarmee ik niet wil zeggen dat het gemakkelijk was om met hem om te gaan.

Hij zat in het midden van de kunstleren bank tegenover me, met zijn kin naar het plafond; misschien keek hij ergens naar, maar het was waarschijnlijker dat hij mij negeerde.

'Is er nog nieuws?' vroeg ik.

'Niets waar ik iets over kan zeggen,' zei hij. 'Man, waarom neem je hier toch altijd Starbucks mee naartoe?'

Ik keek naar de extra grote beker in mijn hand. 'Hoezo? Hou jij ook van koffie?'

'Nee, man, dat spul raak ik niet aan. Het is smerig. Maar ik hou wel van die *frappuccino* die ze daar verkopen.'

Ik had door dat hij een balletje opgooide: of ik hem de volgende keer kon trakteren? Hem vol suiker gieten? Dit was zo'n zeldzaam moment waarin de twaalfjarige het harnas dat hij dag en nacht droeg, even aflegde.

'Bronson, als je het hebt over iets waarover je niet kunt praten, wil dat dan zeggen dat er iets aan de hand is?'

'Ben je doof? Ik zei: niets waar ik iets over kan zeggen!'

Zijn been schoot naar voren en hij beklemtoonde zijn woorden met een paar trappen tegen het tafeltje tussen ons in.

Bronson was zo'n jongen over wie ze psychologieboeken volschreven – de controversiële onbehandelbaren. Voorzover ik het kon inschatten, had hij een totaal gebrek aan inlevingsvermogen, een elementaire bouwsteen voor een antisociale persoonlijkheidsstoornis – Kyle had het eigenlijk ook – waardoor zijn gewelddadige driften nogal gemakkelijk tot uiting kwamen. Met andere woorden, door zijn gebrek aan inlevingsvermogen was het voor hem erg moeilijk dat niet te laten gebeuren.

Maar ik kende Bronsons geheimpje. Onder dat bijdehante, harde omhulsel en achter die psychische problemen ging een angstig kind schuil dat niet begreep waarom hij zich het grootste deel van de tijd zo voelde. Pop Pop was sinds zijn babytijd door het hele systeem gestuiterd, en ik vond dat hij een grotere kans verdiende dan het leven hem tot dan toe had gegund. Daarom zag ik hem twee keer per week.

Ik probeerde het nog een keer. 'Bronson, je weet toch dat onze gesprekken altijd vertrouwelijk zijn?'

'Tenzij ik een gevaar voor mezelf of iemand anders ben,' dreunde hij op. Om die tweede mogelijkheid leek hij te glimlachen. Waarschijnlijk vond hij het wel leuk dat dit gesprek hem een zekere macht gaf.

'Ben je dan een gevaar voor iemand anders?' vroeg ik. Jeugdbendes waren mijn grootste zorg. Hij vertoonde geen sporen van tatoeages of zichtbaar letsel – brandwonden, kneuzingen of iets anders wat op een initiatierritueel kon duiden. Maar ik wist ook dat hij nu in een pleeggezin op Valley Avenue zat: dat was vlak bij het grondgebied van de bendes van 9th Street en Yuma.

'Er is niets aan de hand,' zei hij met overtuiging. 'Ik praat alleen weleens.'

'En met welk clubje heb je dan alleen maar wat gepraat? 9th Street? Yuma?'

Hij begon zijn geduld te verliezen en probeerde me nu met zijn blik te imponeren. Ik liet de stilte tussen ons in hangen, om te zien of hij misschien nog zou antwoorden. Maar hij sprong op, duwde de tafel opzij en ging vlak voor me staan. De verandering had zich bliksemsnel voltrokken.

'Ga me niet lopen zieken, man. Zit me niet zo aan te kijken!'

Toen haalde hij uit.

Het leek wel alsof hij zelf eigenlijk helemaal niet doorhad hoe klein hij was. Ik blokkeerde zijn arm, legde mijn handen op zijn schouders en duwde hem terug op de bank. Zelfs toen probeerde hij het nog een keer.

Ik duwde hem opnieuw terug. 'Geen sprake van, Bronson. Dat flik je me niet.' Ik hield er, gezien zijn verleden, helemaal niet van om hem fysiek aan te pakken, maar hij had een grens overschreden. Bronson zelf leek niet eens te weten waar de grens lag. Dat beangstigde me nog het meest.

Deze jongen hing aan de rand van een klif en ik wist niet of ik hem wel omhoog kon trekken.

HOOFDSTUK 21

'Kom mee, Bronson,' zei ik terwijl ik opstond. 'We gaan.'

'Waar gaan we heen?' wilde hij weten. 'Jeugddetentie? Ik heb je niet eens geraakt, man.'

'Nee, we gaan niet naar jeugddetentie,' zei ik. 'Verre van. Kom.' Ik keek op mijn horloge. De sessie duurde nog een halfuur.

Bronson volgde me naar de hal, waarschijnlijk meer uit nieuwsgierigheid dan iets anders. Normaal gesproken verlieten we dat kamertje alleen samen als ik hem naar zijn sociaal werker vergezelde.

Toen we buiten waren en ik het portier open klikte, bleef hij plotseling staan.

'Ben jij een of andere viezerik, Cross? Neem je me ergens mee naartoe of zo?'

'Ja, ik ben een viezerik, Pop Pop,' zei ik. 'Stap nou maar in.'

Hij haalde zijn schouders op en ging in de auto zitten. Ik zag dat hij zijn hand even over de leren zitting en zijn blik over de stereo liet gaan, maar complimenten of sarcastische opmerkingen hield hij voor zich.

'Nou, wat is het grote geheim?' vroeg hij toen ik optrok. 'Waar gaan we heen?'

'Het is geen geheim,' zei ik. 'Hier niet ver vandaan is een Starbucks. Ik ga zo'n frappuccino voor je kopen.'

Bronson draaide zijn gezicht naar het zijraampje, maar ik zag nog net dat hij grijnsde. Veel was het niet, maar die dag had hij even het idee dat we aan dezelfde kant stonden.

'Extra groot?' vroeg hij.

'Ja, extra groot.'

HOOFDSTUK 22

De FBI werd nog steeds door idioten geleid – althans, zo leek het. Kyle Craig wist niet beter of niemand knipperde zelfs maar met zijn ogen toen de zojuist gedebriefte en meteen weer gereactiveerde agent Siegel zich op de Washingtonse scherpschutterzaak liet zetten. Siegels klusje in Medellín, in die dagen de moordhoofdstad van de wereld, was een archiefstuk geworden, en een indrukwekkend visitekaartje bovendien. Ze mochten blij zijn dat hij aan deze zaak meewerkte.

Blijer dan ze wisten zelfs – ze kregen tenslotte twee agenten voor de prijs van één! Hij zat op zijn nieuwe werkplek in het lokale FBI-kantoor van Washington en bekeek het identiteitsbewijs dat ze hem die ochtend hadden gegeven. De pasfoto met Max Siegels kop erop staarde terug. Als hij ernaar keek, sloeg de schrik hem steeds weer om het hart; als hij langs een spiegel liep, verwachtte hij toch half-en-half de oude Kyle te zien.

'Moet vreemd zijn.'

Kyle keek op en zag dat een van de andere agenten over het wandje van zijn werkplek hing. Het was agent huppeldepup, hij werd door iedereen Scooter genoemd, Scooter, hoe kom je d'r op, Scooter met die gretige ogen die de godganse dag zoete troep zat te eten.

Kyle stak het identiteitsbewijs in zijn zak. 'Vreemd?'

'Dat je weer naar het veldwerk terugkeert, bedoel ik. Na al die tijd.'

'Miami, dat was veldwerk,' zei Kyle die zijn uitspraak met een snufje siegeliaans *New Yawk*-patois kruidde.

'Oké, ik bedoelde er niets mee,' zei huppeldepup. Kyle staarde hem alleen maar aan en liet de ongemakkelijke stilte als een glazen plaat tussen hen in hangen. 'Hm, goed... Kan ik je voordat ik vertrek nog ergens mee helpen?'

'Jij?' vroeg Kyle.

'Hm, ja.'

'Nee, bedankt, Scooter. Ik kan het helemaal alleen af.'

Max Siegel zou zich allesbehalve sociaal opstellen. Dat had Kyle al voor zijn aankomst besloten. Laat de andere agenten maar lekker boven babyfoto's kirren en in de ontspanningsruimte magnetronpopcorn met elkaar gaan zitten delen. Hoe groter de afstand, hoe meer bewegingsruimte hij had en hoe beter hij zijn vermomming kon veiligstellen.

Daarom hield hij er ook van over te werken. Hij had de eerste avonden bijna helemaal op het kantoor doorgebracht en alles wat over de schietpartij op 18th Street bekend was in zich opgezogen. Deze avond concentreerde hij zich op de foto's van de plaats delict en alles wat met de methoden van de schutter te maken had. Zijn profiel begon al aardig vorm te krijgen.

Bepaalde woorden bleven terugkomen. Clean. Koel. Professioneel. Deze moordenaar had geen handtekening achtergelaten, en er was geen 'pak me dan, als je kan'-speltactiek die je zo vaak bij dit soort aanslagen zag. Het was bijna steriel – een moord over meer dan tweehonderdveertig meter, vanuit het perspectief van Kyle bezien een waanzinnige afstand, waarvan de impact elegant in de kranten was vertolkt.

Hij werkte een paar uur achter elkaar door en had op een gegeven moment geen benul van tijd meer, tot ergens een telefoon rinkelde en de stilte op het kantoor werd verbroken. Kyle dacht er niet veel van, maar even later ging zijn eigen telefoon.

'Agent Siegel,' nam hij op, een glimlach in zijn stem, maar niet op zijn gezicht.

'Jamieson hier, van de meldkamer,' zei een stem. We hebben

net een melding van de MPD binnengekregen. Het lijkt erop dat de scherpschutter weer heeft toegeslagen. In de buurt van Woodley Park deze keer.'

Kyle aarzelde niet. Hij stond op en schoot in zijn jasje. 'Waar moet ik naartoe?' vroeg hij. 'Waar precies?'

Even later kwam hij de parkeergarage uit en snelde met zo'n honderd kilometer per uur in noordwestelijke richting over Mass Avenue. Hoe eerder hij daar was, hoe eerder hij Metro Police Department de pas kon afsnijden – die waren ongetwijfeld nu al bezig een puinhoop van de plaats delict te maken.

Maar belangrijker – *dames en heren, klaar voor de start?* – was dat hij lang op dit moment had gewacht. Met een beetje mazzel, althans. Met een beetje mazzel was het moment waarop Alex Cross en Max Siegel elkaar gingen ontmoeten, bijna aangebroken.

HOOFDSTUK 23

Ik was alleen thuis toen ik werd gebeld over de nieuwe scherp-schuttermoord bij Woodley Park.

'Rechercheur Cross? Met brigadier Ed Fleischmann, Second District. We hebben een onaangename moordzaak hier, moge-lijk weer een scherpschutter.'

'Wie is het slachtoffer?' vroeg ik.

'Mel Dlouhy. Daarom bel ik u. Hij past precies in de mal van uw zaak.'

Dlouhy was onlangs op borgtocht vrijgelaten, maar stond nog altijd centraal in wat een van de grootste interne belastingschandalen in de geschiedenis van de vs leek te zijn. Hij werd ervan verdacht dat hij zijn positie bij de belastingdienst had misbruikt om tientallen miljoenen dollars belastinggeld naar zichzelf en naar familieleden en vrienden door te sluizen, meestal via niet-bestaande liefdadigheidsinstellingen voor kinderen.

Nog een scherpschutterincident, en nog een slechterik uit de krantenkoppen – we hadden een patroon.

De zaak was net op een hoger niveau gebracht. Ik was vastbe-sloten het vanaf het begin af aan goed aan te pakken. Als het toch een circus moest worden, zou ik ten minste proberen er míjn circus van te maken.

'Waar bent u?' vroeg ik aan de brigadier.

'32nd, iets voorbij Cleveland Avenue. Kent u het daar?'

'Jazeker.'

Second District was het enige district waar in het voorbije kalenderjaar nul moorden waren gepleegd. Voor statistieken kocht je ook niets. Ik kon de paniek in de wijk voelen groeien.

'Is de ambulance er al?'

'Ja. Ze hebben bevestigd dat het slachtoffer dood is.'

'En is de boel afgeschermd?' vroeg ik.

'We hebben het huis geïnspecteerd, mevrouw Dlouhy is nu bij ons. Als u wilt, kan ik toestemming vragen voor een huiszoeking.'

'Nee. Stuur iedereen die binnen is naar buiten. Bel het mobiele lab. Ze kunnen beginnen met fotograferen, maar niemand raakt iets aan voordat ik er ben. Heeft u al enig idee waar de schoten vandaan kwamen?'

'Of uit de achtertuin, of uit de woning van de achterbuurman. Daar is niemand thuis,' zei Fleischmann.

'Oké. Richt op straat een commandopost in – niet in de tuin, brigadier. Ik wil agenten bij de voor- en achterdeur, en een agent bij het huis van de achterburen. Iedereen die het huis in wil, gaat eerst langs u – en het antwoord is nee. Niet voordat ik ter plekke ben. Dit is een plaats delict van de MPD, mijn rang is hoger dan Moordzaken. U zult de FBI en de ATF zien, de hoofdcommissaris zelf misschien ook. Hij woont veel dichterbij dan ik. Zeg hem dat hij me in de auto kan bellen, als hij wil.'

'Verder nog iets, rechercheur?' Fleischmann klonk een beetje overdonderd. Niet dat ik hem dat kwalijk nam. De meeste agenten uit Second District waren zo'n zaak niet gewend.

'Ja, praat met degenen die het eerst ter plekke waren. En verder geen geleuter, niet met de pers, niet met de buren – met niemand. Jullie weten niet beter of ze hebben niets gezien en weten niets. En zorg ervoor dat de tent dicht blijft tot ik er ben.'

'Ik zal mijn best doen,' zei hij.

'Nee, brigadier. U doet niet uw best, u zórgt dat het gebeurt. Geloof mij, de tent moet hoe dan ook potdicht blijven.'

HOOFDSTUK 24

Helaas sloeg de pers op hol toen ik aankwam. Tientallen camera's deden hun best een plekje te bemachtigen met goed zicht op het witte huis van Mel en Nina Dlouhy, ofwel vanachter de hekken die brigadier Ed Fleischmann had neergezet, ofwel vanaf de overkant, op 31st, waar nog een blokkade was opgeworpen om mensen ervan te weerhouden door de achtertuin te komen, wat ze anders zeker gedaan zouden hebben.

De meeste mensen die niet van de pers waren, kwamen vanaf Cleveland Avenue aanlopen. De buren leken thuis gebleven te zijn, want toen ik naderbij kwam zag ik silhouetten achter de ramen van de huizen. Ik meldde bij de agent die de plaats delict bewaakte dat ik naar binnen ging en gaf meteen opdracht tot een grondig buurtonderzoek.

Op de plaats delict liep Sampson naar me toe, hij kwam rechtstreeks van de faculteit in Georgetown, waar zijn vrouw Billie verpleegkunde doceerde. 'Ik kan niet zeggen dat ik hier blij mee ben,' zei hij tegen mij. 'Godallemachtig, hoeveel kan een mens in één leven verstouwen?'

We begonnen in de woonkamer, waar, zo werd gezegd, de familie Dlouhy naar een aflevering van *The Closer* had zitten kijken. De tv stond nog aan, er waren ironisch genoeg live nieuwsbeelden van het huis op te zien. 'Dat is echt eng,' zei Sampson. 'De pers heeft het altijd over inbreuk op de privacy – behalve als ze het zelf doen.'

Mevrouw Dlouhy had verklaard dat ze glasgerinkel had gehoord, naar de gebroken ruit had gekeken en pas daarna had gezien dat het hoofd van haar man, die in de verstelbare ligstoel naast haar zat, met wijdopen gesperde ogen voorover was gezakt. Een van onze zorgverleners was bij haar en ik hoorde haar in de keuken huilen – ik had wel een beetje met haar te doen. Wat een nachtmerrie.

Mel Dlouhy zat nog steeds in zijn stoel. De kogelwond in zijn slaap zag er relatief netjes uit, met een kleine, blauwzwarte halo eromheen. Sampson wees er met de punt van een pen naar.

'Laten we er even van uitgaan dat hij hier is getroffen,' zei hij, en hij ging ongeveer vijftien centimeter met de pen omhoog naar de plek waar Dlouhy's hoofd tegen de rugleuning moest hebben geleund. 'En hij is hier…' – hij liet de pen een boog om hem heen beschrijven, tot hij naar het gebroken glas wees – '… binnengekomen.'

'Dat is een hoek omlaag,' zei ik. De kogel was door de bovenste van zes ruitjes die op de achtertuin uitkeken heen gegaan. Zonder een woord te zeggen liepen we tegelijkertijd via de eetkamer door de schuifdeuren naar buiten.

Een stenen binnenplaats leidde naar een lange, smalle tuin. Twee schijnwerpers aan de achterkant van het huis verlichtten ongeveer de helft van het oppervlak, maar er stond niets in waar een mogelijke schutter op kon zijn geklommen.

Een straatlantaarn op 31st verlichtte het drie verdiepingen hoge tudorhuis van de achterburen. Hun tuin werd gedomineerd door twee enorme eiken, die voor het grootste deel in de schaduw van het huis stonden.

'Je zei toch dat daar niemand thuis was?' vroeg Sampson.

'Ze zijn de stad uit, om precies te zijn,' zei ik. 'De schutter wist precies wat hij deed. Misschien blufte hij. Na zijn eerste aanslag moest hij aan de verwachtingen voldoen.'

'Aangenomen dat hij het is.'

'Hij is het,' zei ik.

'Pardon? Rechercheur?' Brigadier Fleischmann was opeens

achter ons verschenen. Ik keek meteen naar zijn handen om te zien of hij handschoenen droeg.

'Wat doet u hier in de achtertuin, brigadier? Er is daarvóór genoeg voor u te doen.'

'Twee dingen, meneer. Een paar buren hebben vreemde auto's gezien.'

'Auto's? Meervoud?'

Fleischmann knikte. 'Voor wat het waard is. Er stond hier de afgelopen dagen af en toe een oude Buick met een New Yorks nummerbord in de straat geparkeerd.' Hij keek even in het notitieboekje in zijn hand. 'En een donkere suv, misschien een Suburban, in ieder geval was het een oud barrel. Die heeft de afgelopen nacht een paar uur in de straat gestaan.'

Dit was geen buurt waar oude auto's op hun plaats waren, niet buiten werktijden tenminste. We moesten beide wagens onmiddellijk natrekken.

'En wat was dat tweede punt?' vroeg ik.

'De FBI is hier.'

'Zeg hun dat ze de ERT naar de tuin van de buren sturen,' zei ik tegen de brigadier.

'Het is de ERT niet, meneer. Het is een FBI-agent. En hij heeft speciaal naar u gevraagd.'

Ik gluurde naar binnen en zag een grote, blanke man in een typisch FBI-pak. Hij stond met zijn in blauwe handschoenen gestoken handen op zijn knieën voorovergebogen naar het gaatje in Mel Dlouhy's hoofd te kijken.

'Hé!' riep ik door het gebroken ruitje. 'Waarom zou ik binnen moeten komen?'

Hij hoorde me niet of wilde me niet horen.

'Hoe heet hij?' vroeg ik aan Fleischmann.

'Siegel, meneer.'

'Hé, Siegel!' Ik schreeuwde nu, terwijl ik naar binnen liep. 'Niets aanraken, hierbinnen!'

HOOFDSTUK 25

Toen Alex de kamer binnenkwam, kwam Kyle overeind en keek hem recht aan. Jij bent op sterven na dood, dacht hij, en stak glimlachend zijn hand uit.

'Max Siegel, kantoor Washington. Hoe gaat het? Niet goed, neem ik aan.'

Cross schudde Kyles de hand met tegenzin, maar het was evengoed ook een elektriserend moment, zoals het begin van een basketbalwedstrijd in de NBA.

'Wat doen jullie hier?' vroeg Cross.

'Ik ben hier net,' zei Kyle.

'Je meent het. Ik bedoel, wat wil je precies van dit lijk?'

Kyle verkneukelde zich. Cross had geen idee naar wie hij keek! Zijn gezicht was perfect, natuurlijk. Als er al gevaar was, dan school dat in wat Alex hoorde, niet in wat hij zag. Dat hij Max Siegel wekenlang in Miami had afgeluisterd, moest zich nu uitbetalen.

Maar eerst deed hij iets wat Cross waarschijnlijk niet verwachtte. Hij draaide hem zijn rug toe en knielde om de kogelwond weer te bekijken.

De huid rond de opening werd bedekt door een blauwzwart residu. Een deel van het haar van de man was op het moment dat de kogel door het bot heen brak de schedel mee in getrokken. Zo efficiënt. Zo kil. Hij begon warme gevoelens voor deze moordenaar te krijgen.

'De ballistische gegevens,' zei hij ten slotte terwijl hij weer opstond. 'Ik zet mijn geld op een match met de 7,62 x 51 millimeter van de NAVO. En op een schutter die in het leger is getraind.'

'Je hebt het dossier gelezen,' zei Alex – het was geen compliment, hij constateerde het gewoon. 'We kunnen bij de ballistiek zeker hulp van de FBI gebruiken, maar het is nu vooral van belang dat de patholoog-anatoom hier komt. En zolang hij hier nog niet is, wil ik dat jij naar buiten gaat.'

Cross had zich niet gemakkelijker in zijn kaarten kunnen laten kijken: hij hoopte dat deze agressieve, nieuwe FBI-agent zou inbinden als hij hem een grote bek gaf, want in zijn ogen was hij ongetwijfeld zo'n FBI-klootzak die het te hoog in zijn bol had; een beetje zoals Alex zelf toen hij nog bij de FBI werkte.

'Luister,' zei Kyle, 'het interesseert mij niet wie er in deze zaak met welke eer gaat strijken. Ik bedoel, vroeg of laat gaat de minister van Justitie zich ertegenaan bemoeien en strijkt hij alle eer en aanzien op, ongeacht wie de zaak oplost. Heb ik gelijk of niet?'

'Siegel, ik heb hier nu geen tijd voor. Ik...'

'Maar vergis je niet.' Kyle liet Siegels kameraadschappelijke glimlach verflauwen. 'We hebben nu twee incidenten met drie slachtoffers in één district. Dat maakt het tot een federaal misdrijf. Dus je werkt met ons mee, of je sodemietert op.'

Hij liet Cross zijn trendy iPhone zien, het allernieuwste modelletje. 'Eén telefoontje en deze hele plaats delict is mijn hoogstpersoonlijke country club. Zeg het maar, rechercheur. Wat wil je?'

HOOFDSTUK 26

Het kostte me tien seconden om te doorzien wat Max Siegel in de zin had, en ik was niet van plan erin mee te gaan.

'Luister, Siegel, laten we niet gaan doen alsof ik jou of jij mij van deze zaak weg kan houden,' zei ik tegen hem. 'Maar één ding moet duidelijk zijn. Deze plaats delict is van de MPD. Ik ben hoger in rang dan Moordzaken, en als je dat met de chef wilt opnemen, ga je je gang maar: die staat buiten. En als ik je moet vertellen hoe snel een kamer als deze kan afkoelen, dan heb je hier al helemaal niets te zoeken.'

Er zou die nacht ongetwijfeld een speciale eenheid worden samengesteld, en hoogstwaarschijnlijk zou ik daarin met deze FBI-eikel moeten samenwerken. Dit was geen goed moment om te kijken wie het verst kon pissen. Niet voor hem, en niet voor mij.

Sampson kwam binnen met een blik van 'wie is die vent'. Ik stelde hen aan elkaar voor.

'Agent Siegel en ik vergeleken onze theorieën,' zei ik in een poging het wat luchtiger te maken en weer aan de slag te gaan. 'Hij denkt ook dat hier sprake is van een militaire aanpak.'

Siegel begon meteen weer te praten. Of liever gezegd: te oreren.

'Scherpschutters uit het leger schieten op doelen met een hoge marktwaarde, op officieren dus, niet op gewone soldaten,' zei hij. 'Zoals ik het zie, vallen deze slachtoffers daar ook onder: niet de bankdirecteur, maar het congreslid en de lobbyist die de bankdirecteur voorzien. Niet de belastingbetaler die Uncle Sam besteelt, maar andersom.'

'Een moordenaar in dienst van de gewone man,' zei Sampson. 'Met de beste training van de wereld.' Siegel stak zijn arm zo ver uit dat hij het zwarte gaatje precies boven Mel Dlouhy's linkeroor bijna aanraakte. 'Zoveel nauwkeurigheid liegt niet.'

Ik luisterde zonder te veel te zeggen. Deze kerel wilde college geven, niet samenwerken, maar hij was wel goed in wat hij deed. Als hij dingen zag die ik nog niet had gezien, hield ik mijn kiezen op elkaar tot ik meer wist.

Dat was precies wat Nana Mama's oude ijskastmagneet me al zolang ik me kon herinneren voorhield: *geeft het leven je een citroen, maak dan limonade.*

HOOFDSTUK 27

De straat voor het huis van Dlouhy liep langzaam maar zeker vol, het was een prachtig gezicht. Denny en Mitch bleven aan de rand van de menigte, ze kwamen niet té dichtbij, maar wel zo dichtbij dat ze alles goed in zich konden opnemen. Die rotnacht in de daklozenopvang na de eerste aanslag lag nog vers in hun geheugen, dus Denny had besloten dat Mitch wel wat positieve publiciteit kon gebruiken.

Of Mel Dlouhy's lichaam was nog binnen, of ze hadden die klootzak via de achterdeur naar buiten weten te krijgen. Er liepen de hele tijd smerissen in jasje-dasje voor de ramen van de woonkamer, en je kon zien dat er achter het huis felle schijnwerpers brandden.

Mitch zei niet veel, maar Denny wist dat zijn humeur uitstekend was. Het begon tot die kerel, of liever gezegd dat kind, door te dringen wat de omvang van hun werk was.

'Pardon, agent. Hebben jullie ze al gearresteerd?' vroeg Denny aan een van de agenten die voor het afzetlint stond – hij vroeg het alleen maar om indruk op Mitch te maken.

'Dat zult u in de krant of op de tv moeten bekijken, meneer,' zei de agent. 'Eerlijk gezegd weet ik het zelf ook niet.'

Denny draaide zich half om en fluisterde: 'Hoorde je dat? Meneer! Goede buurt moet dit zijn.' Mitch keek opzij en krabde aan zijn wang om te voorkomen dat hij in de lach zou schieten.

De agent wilde net een radiobericht verzenden toen Denny weer wat zei. 'Sorry, agent, maar kunt u misschien een peuk missen?' Hij hield een blauwe Bic-aansteker op – de meeste mensen hebben liever dat de dakloze zijn eigen vuur heeft. En warempel, dat vette varken stak zijn hand in zijn politiewagen en haalde er een pakje Camel Light uit.

'Eén is genoeg,' zei Denny terwijl hij ervoor zorgde dat de agent over zijn schouder heen Mitch kon zien. 'We delen wel.'

De agent trok twee sigaretten uit het pakje. 'Welke eenheid heb je gezeten?'

Denny keek naar zijn verbleekte camouflagejack. 'Derde Brigade Combat Team, Vierde Infanteriedivisie. De beste eenheid in het buitenland.'

'De op één na beste,' zei Mitch. 'Ik zat bij de Nationale Garde van New Jersey, bij Balad.'

Eigenlijk had Mitch nog nooit een uniform gedragen, maar Denny had hem zo gedrild dat hij kon doen alsof. De mensen waren dol op veteranen. Het werkte altijd in hun voordeel.

Denny nam de peuken van het varken aan, knikte vriendelijk en gaf er een aan Mitch. 'Op straat gaat het gerucht dat het er, gezien zijn schoten, een van ons zou kunnen zijn,' zei hij.

De agent haalde zijn schouders op en keek in de richting van de schuin oplopende voortuin. 'Zo snel komen geruchten niet naar buiten. Je kunt het beter aan een verslaggever vragen. Ik sta hier alleen maar om de menigte op afstand te houden.'

'Oké, goed…' Denny stak zijn sigaret aan, blies de rook uit en glimlachte. 'We zullen u niet langer voor de voeten lopen. God zegene u, agent, en bedankt dat u uw werk doet.'

HOOFDSTUK 28

De vrijdag na de moord op Dlouhy was zo'n heerlijke lentedag waarop de wind, al had je nog wel een jasje nodig, al een belofte van de zomer in zich droeg.

Kyle knoopte zijn blazer dicht en liep zonder ook maar enigszins uit de toom te vallen in noordelijke richting over Mississippi Avenue. Zijn pruik, make-up en lenzen mochten dan lachwekkend elementair zijn, ze werkten perfect. Eigenlijk was zo'n vermomming hem na de operatie aan zijn gezicht te min; het was een noodzakelijk kwaad.

Natuurlijk was deze vervallen buurt niet bepaald de plek die hij normaal gesproken voor zo'n heerlijke voorjaarsmiddag zou uitkiezen. Het was zo'n wijk die het blanke schuldgevoel onder Amerikaanse liberalen springlevend hield zonder dat er ook maar één was die er daadwerkelijk iets aan deed.

Wat niet Kyles probleem was, en het kon hem niet schelen ook.

Hij wandelde op zijn gemak door de straat en zorgde ervoor dat hij iets voor halfvijf voor het Southeast Community Center liep. Het gerucht ging dat ze die dag als onderdeel van een campagne tegen drugsgebruik onder jongeren kaartjes voor de Washington Wizards zouden weggeven. Daar kwamen zelfs de grootste lastpakken op af, en op het moment dat Kyle het plompe bakstenen gebouw naderde, liepen ze net door de glazen deuren naar buiten.

Eén jongen had zijn speciale aandacht. Hij liet de trap voor het gebouwtje links liggen en sprong van een laag muurtje af; daar stopte hij net lang genoeg om de wikkel van een reep Three Musketeers te halen en liep de straat op.

Kyle volgde hem, zo dichtbij dat hij zich binnen de radar van de jongen bevond, maar wel zo ver van hem vandaan dat ze buiten gehoorsafstand zouden zijn voordat er iets gebeurde.

Na een tijdje bleef de jongen staan en draaide zich snel om. Hij kauwde nog op de reep en brandde meteen los.

'Hé, man, wat moet je van me?'

Hij was kinderlijk jong, maar in zijn reebruine ogen was geen enkele angst te bespeuren. De grijns op zijn gezicht was een getrouwe kopie van ieder ander die op een gangster probeert te lijken, maar die om aan de kost te komen treurige straten als deze moet afschuimen.

De jongen tilde zijn te grote witte overhemd op en liet het met zwart leer omwikkelde handvat van een mes zien dat waarschijnlijk tot halverwege zijn magere been doorliep. 'Had je wat, sukkel?' vroeg hij.

Kyle glimlachte goedkeurend. 'Jij bent Bronson, toch? Of moet ik je Pop Pop noemen?'

'Wie wil dat weten?' Zijn instinct was goed – maar hij was dom genoeg. Bronson trok het mes een stukje uit zijn broek, zodat Kyle een stukje van het glanzende staal kon zien.

Kyle draaide van de straat weg en hield zijn jasje open. In een holster op zijn zij zat een kleine Beretta. Hij trok het eruit en hield het bij de loop vast, met de kolf naar de jongen.

Little Bronson sperde zijn ogen open – niet van angst, maar omdat hij plotseling zeer geïnteresseerd was.

'Ik heb een mooi klusje voor jou, mannetje, als je het aankunt. Wil je vijfhonderd dollar verdienen?'

DEEL TWEE

Vossen in het kippenhok

HOOFDSTUK 29

De ballistische gegevens waren binnen.

Op dit rapport had iedereen gewacht, en ik plande het zo in dat het met de telefonische vergadering van de Field Intelligence Group samenviel. We hadden het hele team van de MPD, en mensen van de FBI, de ATF en Capitol Police aan de lijn – vrijwel iedereen was nu op deze zaak gezet.

Ook Cailin Jerger van het forensische FBI-lab in Quantico en Alison Steedman van de FBI-afdeling Vuurwapen- en Sporenonderzoek vergaderden mee.

Nadat een aantal mensen zich snel had voorgesteld, gaf ik Jerger het woord.

'Op basis van de fragmenten die we in de schedel van alle drie de slachtoffers hebben aangetroffen, kan ik met zekerheid stellen dat beide keren hetzelfde wapen is gebruikt,' vertelde ze. Ik had het grootste deel 's ochtends al gehoord, maar voor bijna alle andere deelnemers aan de telefonische vergadering was dit allemaal nieuw. '7.62-kogels kunnen tot tientallen wapens worden herleid, maar met inachtneming van de aard en de afstand van de schoten zijn we het erover eens dat we een geavanceerd scherpschutterwapen zoeken. Dat reduceert het aantal mogelijke wapens tot zeven.'

'En het wordt nog beter,' viel agent Steedman bij. 'Vier van die zeven zijn grendelgeweren. We zijn het er allemaal over eens dat de eerste twee slachtoffers, Vinton en Pilkey, binnen een tijdsbestek van twee seconden zijn neergeschoten. Dat kan niet met een grendelgeweer. Er blijven dus drie semi-automatische scherp-schuttergeweren over: the M-21, the M-25, en de nieuwere M-110, het neusje van de zalm. Van deze drie kunnen we er niet een uitsluiten, maar de schoten zijn allemaal 's nachts en bij diverse lichtomstandigheden gelost, en de M-110 is standaard met een warmtezoeker uitgerust.'

'Alles bij elkaar kunnen we wel zeggen dat jullie schutter hoogstwaarschijnlijk zeer, zeer goed is uitgerust,' zei Jerger.

'Hoe moeilijk is het om aan een M-110 te komen?' Ik herkende de stem van Jim Heekin van het Directoraat Inlichtingen.

'Er is maar één plek waar ze worden gemaakt,' zei Steedman. 'Dat is Knight's Armament Company in Titusville in Florida. Ze maken zo'n drieduizend geweren per jaar.'

Dat had ik al uitgezocht, en ik nam het woord.

'Tot zover is over de hele productie van Knight's verantwoording afgelegd,' zei ik. 'Maar als de geweren eenmaal in bedrijf zijn genomen, vooral in Irak en Afghanistan, kunnen ze kwijt-raken, wat ook gebeurt. Oorlogssouvenirs, zoiets. Die zijn bijna niet op te sporen.'

'Rechercheur Cross, hier hoofdinspecteur Oliverez van Ca-pitol Police. Stond er niet in uw rapport dat de vingerafdruk-ken die op 18th Street zijn gevonden niet van een militair kunnen zijn?'

'Inderdaad,' zei ik. 'Maar het is te vroeg om een connectie met het leger uit te sluiten, zowel in verband met de manier waarop het wapen in hun bezit is gekomen als de manier waarop ze het hebben gebruikt. En dat brengt me op het volgende...' Ik had hier de halve dag over nagedacht, maar het was onverstandig het niet met de groep te delen.

'Eén ding kan ik niet genoeg beklemtonen,' zei ik. 'Ik wil dat wat ik jullie nu ga vertellen uit de pers blijft tot we meer bewijs hebben. Ik weet dat het met zoveel mensen bijna onmogelijk is om iedereen in het gareel te houden, maar ik reken erop dat jul-lie allemaal discreet zijn.'

'Alles wat hier wordt gezegd, blijft binnen deze telefoon,' grapte iemand, en er werd hier en daar zacht gelachen.

'De kwestie is,' zei ik, 'dat de geweren waar we het over hebben door een team worden bediend. Er is een schutter, en er is iemand die kijkt.' Ik hoorde de mensen aan de lijn, ze mompelden met elkaar in hun respectievelijke vergaderruimtes ergens in de stad. 'Dus jullie begrijpen waar ik naartoe wil. Het zou weleens heel erg op 2002 kunnen lijken. Het ziet ernaar uit dat we niet langer naar één schutter zoeken. Hoogstwaarschijnlijk zoeken we een tweepersoonsteam.'

HOOFDSTUK 30

Toen Sampson en ik uit onze vergaderruimte kwamen, stond Joyce Catalone van de afdeling Communicatie voor de deur.

'Ik wilde je net naar buiten roepen,' zei ze. 'Ik ben blij dat dat niet nodig is.'

Ik keek op mijn horloge – het was kwart voor vijf. Dat betekende dat er beneden minstens dertig verslaggevers stonden te wachten om me voor de vijf- en zesuurjournaals aan een kruisverhoor te onderwerpen. Verdomme – het was tijd om het beest te voeden.

Joyce en Sampson liepen met me mee naar beneden. We namen de trap zodat ze me onderweg nog wat dingen kon voorleggen.

'Keisha Samuels van de *Post* wil een profiel in het zondagmagazine.'

'Nee,' zei ik. 'Ik mag Keisha graag, ze is slim en eerlijk, maar voor een diepte-interview is het te vroeg.'

'En ik heb CNN en MSNBC, die willen allebei op primetime een halfuur aan dit onderwerp wijden als je bereid bent bij hen in de studio te gaan zitten.'

'Joyce, zolang we niets naar buiten kunnen brengen, ga ik helemaal nergens zitten. En geloof mij, ik had maar al te graag gewild dat we iets hadden.'

'Prima,' zei ze. 'Maar dan moet je niet mekkeren als je wel publiciteit nodig hebt en zij hun aandacht al op iets anders hebben gericht.' Joyce was een ouwe rot in het vak en de officieuze moederkloek van de recherche.

'Ik mekker nooit,' zei ik.

'Behalve als ik je in de touwen heb,' zei Sampson en hij stootte in mijn richting.

'Dat komt door je adem, niet door je slagen,' zei ik.

We hadden de begane grond bereikt en Joyce bleef met haar hand op de deurknop staan. 'Pardon, stelletje pubers? Kunnen we ons even concentreren?' Ze was ook nog eens heel goed in haar werk en een geweldige ruggensteun bij de dagelijkse persbijeenkomsten, die soms een beetje hectisch waren.

Zei ik een beetje? Zodra we door de voordeur naar buiten stapten, rende een zoemende zwerm verslaggevers de trap voor het Daly-gebouw op.

'Alex! Wat is er in Woodley Park gebeurd?'

'Rechercheur Cross, hier!'

'Wat is er waar van de geruchten…'

'Mensen!' Joyce schreeuwde over de groep heen. Haar volume was legendarisch. 'Laat die man eerst een verklaring afleggen! Alsjeblieft zeg!'

Ik werkte de feiten van de afgelopen vierentwintig uur af en liet alleen het hoogstnodige los over het ballistische rapport van de FBI, zonder in details te treden. Daarna was het weer lang leve de vrijheid.

Channel Four mocht eerst. Ik herkende de microfoon, maar niet de verslaggever, die er als een twaalfjarige uitzag. 'Alex, heb je een boodschap voor de scherpschutter? Iets wat je hem wilt laten weten?'

Voor het eerst viel er een soort stilte op de traptreden. Iedereen wilde horen wat ik daarop ging antwoorden.

'We verwelkomen elke vorm van contact met degene die voor deze schietpartijen verantwoordelijk is,' zei ik terwijl ik in de camera's keek. 'Je weet waar je ons kunt vinden.'

Het was geen geweldige soundbite en het was ook niet supercool of precies datgene wat sommige mensen hadden willen horen. Maar binnen het onderzoeksteam waren we het erover eens dat we hem niet wilden aanmoedigen, dat we onze hakken niet in het zand zouden zetten en dat we geen publieke karakterisering van de moordenaar of moordenaars gaven tot we beter wisten met wie we te maken hadden.

'Volgende vraag. James!' riep Joyce om ervoor te zorgen dat iedereen gefocust bleef en de vaart erin werd gehouden.

Het was James Dowd, een van de correspondenten van de nationale NBC. Hij had een dik blocnote in zijn hand, dat hij doorbladerde terwijl hij sprak.

'Rechercheur Cross, schuilt er waarheid in de geruchten dat er in de buurt van de plaats delict in Woodley Park een blauwe Buick Skylark met een nummerbord uit New York en een donkere, roestige Suburban zijn gezien? En kunt u ons zeggen of jullie er al achter zijn of een van deze voertuigen van de moordenaar was?'

Ik was kwaad, verrast en in verlegenheid gebracht. Het probleem was… Dowd was goed.

De waarheid was dat een oude vriend van me, Jerome Thurman uit First District, deze aanknopingspunten meteen na de moord op Dlouhy was gaan onderzoeken, zonder er ruchtbaarheid aan te geven. Tot zover hadden we alleen een ellenlange lijst voertuigen van de dienst wegverkeer en geen enkel bewijs dat er één bij was die op een of andere manier aan de schietpartijen gelieerd was.

Maar die informatie wilden we per se buiten de publiciteit houden. Het was duidelijk dat iemand met de pers had gesproken, wat gezien mijn woorden tijdens de telefonische vergadering een paar minuten geleden, over discretie, nogal cynisch was.

Ik gaf het enige mogelijke antwoord. 'Daar geef ik op dit moment geen reactie op,' zei ik. Ik had net zo goed een lap vlees voor een troep wilde honden kunnen houden. De meute journalisten en de microfoons dromden nog dichter om me heen.

'Mensen!' probeerde Joyce weer. 'Een voor een! Jullie weten hoe het werkt!'

Maar het was een achterhoedegevecht. Ik gooide er nog vier keer 'Geen commentaar!' tegenaan en weigerde verder mee te werken tot iemand eindelijk van onderwerp veranderde. Maar de schade was al aangericht. Als een van deze voertuigen inderdaad van de scherpschutters was, waren ze gewaarschuwd; we waren net een belangrijk voordeel kwijtgeraakt.

Het was de eerste keer dat er in dit onderzoek belangrijk nieuws uitlekte, en iets zei me dat het niet de laatste keer zou zijn.

HOOFDSTUK 31

Lisa Giametti keek misschien wel voor de tiende keer op haar horloge. Ze zou nog vijf minuten wachten, dan ging ze weg. Het was verbazingwekkend met hoeveel gemak sommige mensen in deze business andermans tijd verspilden.

Vierenhalve minuut nadat ze had besloten hem nog vijf minuten te geven stopte er een donkerblauwe BMW, die voor het huis dubbel parkeerde. Hoe dan ook, beter laat dan nooit. Mooie auto, trouwens.

Ze checkte haar tanden in het achteruitkijkspiegeltje, haalde haar hand door haar korte, kastanjebruine haar en stapte uit om de cliënt te begroeten.

'Meneer Siegel?'

'Max,' zei hij. 'Sorry dat ik je heb laten wachten. Ik ben niet aan het stadsverkeer gewend.'

Hij gaf een warme hand, en lang, donker en aantrekkelijk als hij was, viel het haar niet zwaar het hem te vergeven. Gezien het oogcontact leek zij hem ook wel te bevallen. Interessante vent – het wachten meer dan waard.

'Kom binnen,' zei ze. 'Ik denk dat je het een heerlijk huis zult vinden. Dat vind ik in ieder geval wel.'

Ze hield de deur voor hem open, zodat hij het eerst naar binnen kon. Het was een min of meer acceptabel rijtjeshuis op 2nd in Northeast, misschien iets te duur, gezien de stand van zaken op de huurmarkt, maar voor een bepaald soort huurder heel geschikt. 'Ben je nieuw in Washington?'

'Ik heb hier vroeger gewoond, en nu ben ik weer terug,' zei hij. 'Ik ken eigenlijk niemand meer in de stad.'

Hij deed het volgens de code: nieuw in de stad, alleen, et cetera. Geen ring aan de vinger ook. Lisa Giametti was geen willig slachtoffer, maar ze wist wanneer ze een hunkerende man zag en mocht er hier iets gebeuren, dan zou het niet voor het eerst zijn.

Ze trok de deur achter zich dicht en deed hem op slot.

'Het is hier hartstikke leuk wonen,' vervolgde ze. 'Aan de overkant zie je de achterkant van het Supreme Court. Luidruchtige feestjes geven ze daar niet. Het huis heeft een fijne achtertuin en een afgesloten parkeergelegenheid.'

Ze liepen door de keuken, vanwaaruit je de garage kon zien. 'Ik hoef je niet te vertellen hoe goed dat hier uitkomt.'

'Nee,' zei hij terwijl hij ergens onder haar ogen keek. 'Mooi hangertje draag je. Je hebt smaak – in huizen en in sieraden.'

Deze man wond er geen doekjes om.

'En de kelder?' vroeg hij daarna.

'Sorry?' vroeg ze.

'Ik wil de kelder graag zien. Die is er toch, of niet?'

Nórmaal gesproken informeerden cliënten in deze fase naar de bovenverdieping. Misschien zelfs naar de slaapkamer, als ze deze vent goed begreep. Maar goed. De klant was koning, vooral als hij er zo uitzag als deze hier.

Ze liet haar aktetas op het aanrecht liggen, opende de kelderdeur en ging hem voor over de oude, houten trap.

'Je merkt dat het aangenaam warm en droog is. De bedrading is vernieuwd en de wasmachine en de droger zijn pas een paar jaar oud.'

Hij liep rond en knikte goedkeurend. 'Ik kan hier prima werken. Genoeg privacy, ook.'

Plotseling deed hij een stap naar haar toe en ze deinsde achteruit, tegen de wasmachine aan.

Mocht er nog twijfel zijn waar dit op afstevende, dan was die nu verdwenen. Lisa schudde met haar haar. 'Wil je het boven niet zien?'

'Natuurlijk wel, maar nu nog niet. Vind je dat erg, Lisa?'

'Nee, ik denk het niet.'

Toen ze hem kuste, pakte hij haar meteen tussen haar benen, door haar rok heen. Aanmatigend, wel – maar ook geil.

'Het is al even geleden,' zei hij verontschuldigend.

'Dat merk ik,' zei ze en ze trok hem dichter naar zich toe.

En terwijl het papierwerk boven op het aanrecht lag te wachten kreeg Lisa Giametti de beurt van haar leven, daar op die twee jaar oude Maytag-wasmachine. Het was hitsig, het was goor, het was verrukkelijk.

En met de twaalf procent commissie was ook niets mis.

HOOFDSTUK 32

De FBI wist niets. De politie wist ook niets. Het enige wat ze wisten, was dat Washington opeens een linke, enge stad was geworden.

Denny verslond de koppen – elke ochtend op de voorpagina, en alle vijf-, zes- en elfuurjournaals begonnen ermee. En als hij en Mitch 's middags hun krantjes hadden verkocht, keken ze daarna in een elektronicawinkel of, als ze geld overhadden, in een van de kroegen waar sjofele types aan de bar gedoogd werden, naar het avondjournaal.

Het was iedere keer hetzelfde verhaal: onbekende moordenaar, fantoomvingerafdruk, zeer geavanceerd wapentuig. Een paar zenders verspreidden geruchten over een Buick Skylark met een New Yorks nummerbord en een roestige, naar alle waarschijnlijkheid donkerblauwe Suburban – wat Denny veel meer verontrust zou hebben als zijn Suburban niet wit was geweest. Zelfs de ooggetuigen maakten er een potje van, maar wie deed dat niet, in de Verenigde Staten?

Wat Mitch betrof, hij vond al die heisa leuk, maar naarmate de week vorderde, leek hij futloos te worden, in zichzelf gekeerd. Denny twijfelde er niet aan dat juist dit soort missies Mitch scherp hield. Het was precies wat die ouwe reus nodig had.

Dus vertelde Denny Mitch na zeven 'missieloze' dagen dat het tijd was om weer toe te slaan.

Ze reden vanaf Dupont Circle noordwaarts over Connecticut, tijdens de spits, wat perfect was, want hoe langer het duurde om het Mayflower Hotel voorbij te kruipen, hoe beter ze het konden bekijken.

'Moeten we daar zijn?' vroeg Mitch terwijl hij vanaf de passagiersstoel omhoogkeek.

'Vannacht doen we nog een verkenningsronde,' zei Denny. 'Morgen gaan we erop af.'

'Welke rijke stinkerd halen we dit keer neer, Denny?'

'Weleens van Agro-Corel gehoord?'

'Nope.'

'Koop je weleens maïs? Of aardappels? Of water uit een flesje? Ze deden overal in, man, een heel verticaal geïntegreerd conglomeraat. En onze man zat boven in de piramide.'

'Wat deed hij daar?'

Mitch bleef Taco Bell-kruimels van zijn schoot plukken, maar Denny wist dat hij luisterde, al gingen sommige dingen hem boven zijn pet.

'Die man loog zijn bedrijf voor. En tegen de FBI loog hij ook. Hij joeg het hele bedrijf naar de kelder en ging er met een paar honderd miljoen vandoor terwijl de rest het nakijken had – pensioenen weg, banen weg, alles weg. Je weet toch hoe dat voelt, Mitchie? Als je je stinkende best doet maar toch aan het kortste eind trekt en de grote baas zich ondertussen volvreet?'

'Waarom zit de grote baas dan niet in de bak, Denny?'

Denny haalde zijn schouders op. 'Wat kost een rechter nou helemaal?'

Mitch staarde door het raampje naar buiten, zonder iets te zeggen. Een verkeerslicht sprong op groen, het verkeer stroomde verder noordwaarts.

Ten slotte zei hij: 'Ik jaag hem wel een kogel door zijn hersenstam, Denny.'

HOOFDSTUK 33

Die vrijdagavond pakten ze het anders aan, om de modus operandi een beetje te doorbreken. Denny zette Mitch met beide zakken af in een steegje achter het Moore-gebouw, parkeerde vier straten verderop en liep terug. Later zou hij de auto weer ophalen.

Mitch wachtte binnen. Tijdens het beklimmen van de twaalf trappen sprak geen van beiden. De zakken wogen dertig kilo per stuk. Dat is niet niets.

Op het dak konden ze de geluiden van het verkeer beneden op Connecticut wel horen, maar je zag pas iets als je op de rand klom.

De façade van het gebouw was zo gebouwd dat je vanaf de straat niet de gebruikelijke rechte rand van het dak zag, maar een achttien meter hoge driehoek van metselwerk. Het leek wel een jachthut, met een perfect uitzicht op het Mayflower Hotel aan de overkant van de straat. Het Mayflower was nog altijd een van de vermaardste hotels van DC.

Denny bekeek de omstandigheden terwijl Mitch voorbereidingen trof om te kunnen prijsschieten.

Skip Downey, het doelwit van die avond, had een aantal vaste gewoontes. Hij had een voorkeur voor suite 1102, wat Denny's werk er een stuk gemakkelijker op maakte.

Op dit moment waren de gordijnen open; meneer Downey had nog niet ingecheckt.

Maar nog geen twintig minuten later stonden Downey en zijn

'vriendin' te wachten tot de piccolo zijn fooi van twintig dollar had aangenomen en uit de suite was vertrokken.

Dat Downey een vette bankrekening had, maakte het niet minder gênant dat hij zijn laatste beetje rossig haar over zijn kale kruin heen kamde. Hij leek op het studentikoze type te vallen: het haar van zijn gezelschap zat in een knotje, en ze droeg een bril met een dik hoornen montuur en een mantelpakje dat voor een echte bibliothecaresse veel te kort was.

'*Bow-chicka-wow-wow,*' zong Denny voor de gelegenheid – een pornodeuntje. 'Twee ramen beneden, vier boven, heb je dat?'

'Heb ik,' zei Mitch. Hij keek door zijn eigen vizier en zette, terwijl hij keek, de veiligheidspal om.

'Best een lekker ding, Denny. Zonde om haar te mollen, vind je niet?'

'Daarom mik je ook alleen maar op haar schouder, Mitchie. Je hoeft haar alleen maar tegen de grond te werken. Meneer D. eerst, daarna het meisje.'

'Meneer D. eerst, daarna het meisje,' herhaalde hij en nam zijn definitieve houding aan.

Downey schonk twee whisky's met ijs in. Hij sloeg die van hem in één keer achterover en liep recht naar het raam van de zitkamer van de suite.

'Schutter gereed?' vroeg Denny.

'Schutter gereed,' zei Mitch.

De man die ze die avond moesten hebben stak zijn hand uit om de zware, koffiekleurige gordijnen dicht te trekken. Zijn gespreide armen vormden een wijde V.

'Schieten maar!'

HOOFDSTUK 34

Om halfelf die avond keek ik vanaf het dak van het Moore-gebouw naar de hotelsuite waarin Skip Downey lid was geworden van het nog kleine, maar snel groeiende broederschap van mannen die recentelijk door scherpschuttervuur waren gestorven.

Het was de derde keer, een magisch getal: onze moordenaars waren nu officieel seriemoordenaars, wat met de bijbehorende publiciteit gepaard ging.

Op Connecticut Avenue, diep beneden me, stond een woud van mobiele zendmasten, en ik wist uit ervaring dat de *blogosphere* hier nu officieel door zou worden aangestoken.

'Kun je me zien?' vroeg ik in mijn radio.

Ik had verbinding met Sampson, die in de hotelkamer was en precies op de plek stond waar Skip Downey was neergeschoten.

'Zwaai even met je arm of zo,' zei hij. 'Ah, daar ben je. Hm, ja, dat is een verdomd goede schuilplaats.'

Achter me schraapte iemand zijn keel.

Ik keek om en zag Max Siegel staan. Geweldig. Nou net de man die ik níet wilde zien.

'Sorry,' zei hij. 'Ik wilde je niet laten schrikken.'

'Geen probleem,' zei ik. Maar er was wel een probleem, namelijk dat hij er was.

'Wat hebben we?' Hij deed een stap naar voren zodat hij hetzelfde uitzicht had als ik, en keek uit over Connecticut. 'Hoe ver is dat schot? Vijftig meter?'

'Minder,' zei ik.

'Dus ze hebben niet geprobeerd zichzelf te overtreffen. Dat wil zeggen, qua afstand.'

Het viel me op dat hij 'ze' zei, en ik vroeg me af of hij die middag ook aan die telefonische vergadering van de FIG had deelgenomen of dat hij dit zelf had bedacht.

'Verder is de modus operandi identiek,' zei ik. 'De schoten zijn staand gelost. Het kaliber komt waarschijnlijk overeen. En dan hebben we het slachtofferprofiel natuurlijk nog.'

'Een slechterik uit de krantenkoppen,' zei hij.

'Precies,' zei ik. 'Deze Downey heeft hele volksstammen besodemieterd. Het is zonneklaar dat het hier om eigenrichting van verontruste burgers gaat.'

'Wil je weten wat ik denk?' vroeg Siegel, en natuurlijk was het geen echte vraag. 'Ik denk dat je het te simpel voorstelt. Deze jongens jagen niet, althans, niet in de traditionele zin. En hun werk heeft niets persoonlijks. Het is volkomen afstandelijk.'

'Niet volkomen,' zei ik. 'Ik ben ervan overtuigd dat ze die duimafdruk op de eerste plaats delict opzettelijk achter hebben gelaten.'

'Zelfs als dat zo is,' zei Siegel, 'hoeft dat nog niet allemaal hún idee geweest te zijn.'

De manier waarop hij me de les las begon me nu al te irriteren. 'Waar wil je naartoe?'

'Ligt het niet voor de hand?' vroeg hij. 'Dit zijn huurmoordenaars. Ze werken voor iemand. Misschien is er een agenda – maar die is van de persoon die de rekening betaalt. En die persoon wilde deze slechteriken dood hebben.'

Hij bracht zijn mening alsof het om feiten ging, discussie was – zoals gebruikelijk – uitgesloten. Maar toch, zijn theorie sneed wel hout. Ik was het aan mezelf verplicht hem serieus te nemen, en dat zou ik doen ook. Eén-nul voor Max Siegel.

'Je verrast me,' gaf ik eerlijk toe. 'Ik ben van de FBI gewend dat ze zich op harde bewijzen richten en zich verre van veronderstellingen houden.'

'Ach, ik zit vol verrassingen,' zei hij en legde een onwelkome hand op mijn schouder. 'Stel je wat meer open, rechercheur, als ik zo vrij mag zijn.'

Zo vrij mocht hij absoluut niet zijn, maar ik was vastbesloten datgene te doen waar Siegel niet toe in staat leek te zijn: de moeilijke weg nemen en eerlijk en onbaatzuchtig blijven.

HOOFDSTUK 35

Niet veel later verliet ik de plaats delict in het Mayflower, opgelucht dat ik een excuus had om bij Siegel weg te komen.

Het andere slachtoffer van die avond, Rebecca Littleton, lag met een schotwond in haar schouder in het George Washington University Hospital. Op de eerstehulp hadden ze gezegd dat het een penetrerend trauma was, wat inhield dat de kogel er nog uit moest. Als ik snel was, kon ik haar nog voor de operatie spreken.

Littleton lag op de operatieafdeling op een brancard met zo'n blauw gordijntje eromheen. Op het verband om haar schouder zaten donkere vlekken van de betadine, en ik wist niet wat de medicijnen in haar infuus tegen de pijn deden, maar haar geestelijke gesteldheid deden ze niet veel goeds: ze was zo bleek als een geestverschijning en zag er doodsbang uit.

'Rebecca? Ik ben rechercheur Cross van Metro Police,' zei ik. 'Ik wil graag even met je praten.'

'Word ik… word ik ergens van verdacht?' Ik geloof niet dat ze ouder dan een jaar of achttien, negentien was, het was maar net legaal. Haar stem was dunnetjes en trilde terwijl ze sprak.

'Nee, hoor,' verzekerde ik haar. 'Daar is geen sprake van. Ik wil gewoon wat vragen stellen. Ik zal proberen het eenvoudig te houden en het snel af te ronden.'

De waarheid was dat er, als iemand een onderzoek naar haar had willen instellen, geen getuigen waren – of het had de man die haar had neergeschoten moeten zijn.

'Heb je vannacht iets gezien wat in de richting van een moge-

110

lijke dader wijst? Door het raam? Of iets in de hotelkamer wat niet klopte?'

'Ik geloof het niet, maar… Ik herinner me niet zo veel. Meneer Downey wilde de gordijnen dichtdoen, en opeens lag ik… op de vloer. Ik weet niet eens wat er daarna gebeurd is. Of vlak daarvoor.'

Toch had zij de hoorn van de telefoon op het nachtkastje gepakt en om hulp gevraagd. Het zou waarschijnlijk stukje bij beetje terugkomen, maar ik was nu niet van plan druk op haar uit te oefenen.

'Was dit de eerste keer dat je Downey zag?' vroeg ik.

'Nee. Hij was min of meer een vaste klant.'

'Altijd in het Mayflower?'

Ze knikte. 'Hij vond het een prettige suite. We gingen altijd naar dezelfde kamer.'

Een verpleegster in een roze verpleegstersoutfit kwam door het gordijn naar binnen. 'Rebecca, schat? Ze zijn boven klaar voor je, oké?'

Het gordijn om ons heen werd opengetrokken en er verschenen verschillende mensen aan het bed. Een assistent in opleiding zette de brancard van de rem.

'Nog één vraag,' zei ik. 'Hoe lang was je al in die kamer voordat het gebeurde?'

Rebecca sloot haar ogen en dacht even na. 'Vijf minuten, misschien? We waren net binnen. Rechercheur… Ik studeer. Mijn ouders…'

'Er wordt je niets ten laste gelegd, maar je naam komt waarschijnlijk wel naar buiten. Je zult je ouders moeten bellen, Rebecca.'

Ik liep mee toen ze haar door de gang naar de lift reden. Het zag ernaar uit dat er geen familieleden of vrienden bij haar waren, en het ging me aan het hart dat ze hier helemaal alleen doorheen moest.

'Luister,' zei ik. 'Ik heb meegemaakt wat jij nu meemaakt. Ik heb ook een kogel in mijn schouder gehad, en ik weet hoe eng het is. Maar alles komt goed, Rebecca.'

'Oké,' zei ze, maar ik had niet het idee dat ze me geloofde. Ze zag er nog steeds doodsbang uit.

'Ik kom na de operatie even kijken hoe het met je gaat,' zei ik nog net voordat de schuifdeuren van de lift tussen ons dichtgingen.

HOOFDSTUK 36

Ik liep terug naar de auto en maakte aantekeningen op het stuur, waabij ik mijn best deed om alle losse draden op te schrijven.

Rebecca zei dat zij en Downey nog maar net in de kamer waren geweest, wat betekende dat de scherpschutters waren voorbereid en hen hadden opgewacht. De moordenaars wisten precies waar ze wanneer moesten zijn, net zoals ze wisten dat Vinton en Pilkey naar het restaurant zouden gaan en dat Mel Dlouhy's buren de stad uit waren toen ze langskwamen om hem te vermoorden.

Wie hier ook achter mochten zitten, ze hadden aardig greep op de gewoontes van hun slachtoffers, op de bezigheden van de mensen in hun omgeving en op persoonlijke details uit hun verder publieke bestaan. Ik bedacht dat je voor het verzamelen van dat soort informatie veel tijd, mankracht, knowhow en hoogstwaarschijnlijk geld nodig hebt.

Ik dacht aan wat Siegel die avond op het dak van het Mooregebouw tegen me had gezegd. *Dit zijn huurmoordenaars.* Ik had dat toen al niet uitgesloten, maar nu leek het me ronduit waarschijnlijk. En het beviel me allerminst dat Siegel me voor was geweest. Normaal gesproken was ik niet zo, maar hij streek me tegen de haren in.

Het was duidelijk dat achter deze moorden een gerichte, gedisciplineerde agenda schuilging. Als een schutter met zulke vaardigheden Rebecca definitief had willen uitschakelen, was ze beslist dood geweest. Maar ze paste niet in het profiel; haar enige misdaad was dat ze op het verkeerde moment op de verkeerde plek was geweest. Dat gold niet voor de anderen. Volgens wat de regels van dit spel leken te zijn, verdiende Rebecca het niet, en Skip Downey en de andere slechteriken uit Washington het wel om te sterven.

Wiens spel was dit dan? Wie bepaalde de regels? En waar moest dit toe leiden?

Ik mocht nog steeds niet uitsluiten dat onze beroepsmoordenaars op eigen houtje opereerden. Maar inmiddels was ik wel zo paranoïde – of ervaren – dat zich in mijn gedachten een lijst van angstaanjagender alternatieven vormde.

Kon hier een of andere overheidsinstantie achter zitten? Een of andere Amerikaanse geheime dienst? Of een buitenlandse organisatie?

Of zat het volk erachter? Of het leger? Of was het één individu, met hoge relaties, een dikke portemonnee en zwaarwegende, zelfzuchtige motieven?

Hoe dan ook, de belangrijkste vragen bleven onbeantwoord. Op wie zouden ze hun oog nog meer laten vallen? En hoe moesten we in godsnaam al het Washingtonse tuig met een grote reputatie beschermen? Dat was eenvoudigweg onmogelijk.

Als we niet heel, heel veel geluk hadden, zouden er nog meer mensen doodgaan. En dat zouden hoogstwaarschijnlijk mensen zijn die door vrijwel niemand betreurd zouden worden. Dat was de schoonheid van dit verschrikkelijke spel.

HOOFDSTUK 37

Voor Nana en mij was de volgende dag van cruciaal belang. Sinds ik het huis 's nachts liet bewaken was de sfeer tussen ons koeltjes, naar toen ik beneden kwam en zag dat ze ontbijt voor Rakeem en zijn jongens klaar stond te maken, wist ik dat we het ergste achter de rug hadden.

'Ah, Alex, daar ben je. Heel goed. Breng deze borden buiten.' Ze zei het alsof ik dagelijks het ontbijt serveerde. 'Snel, nu is het nog warm!'

Toen ik terugkwam, stond mijn eigen ontbijt klaar – roergebakken eieren met Portugese varkensworstjes, volkorentoast, sinaasappelsap en een dampende beker met Nana's cichoreikoffie in mijn lievelingsmok (Papa #1) met de buts van de keer dat Ali hem tegen de muur had gegooid.

Haar eigen ontbijt was tegenwoordig beter voor haar hart – een grapefruit, toast met ongezouten boter, thee én een half worstje, want zoals Nana graag zei: de lijn tussen verstandig eten om langer te leven en zo gezond eten dat je je dood verveelt, is dun.

'Alex, ik wil een wapenstilstand,' zei ze toen ze eindelijk tegenover me kwam zitten.

'Daar toost ik op,' zei ik en hief mijn sinaasappelglas. 'Ik ga met alle voorwaarden akkoord, wat ze ook mogen zijn.'

'Want er is nog iets waar ik over wil praten.'

Ik schoot in de lach. 'Dat was dan zo ongeveer de kortste wapenstilstand ooit. Wat is dit? Het Midden-Oosten?'

'Welnee, wind je niet zo op. Het gaat over Bree.'

Voorzover ik wist, zat Bree vlakbij, met een snee brood, Barack Obama en handgeschreven brieven in Nana's boek. Hoe ernstig kon dit zijn?

'Na alles wat er is gebeurd, zou je een grote domkop zijn als je die meid door je vingers liet glippen,' begon ze.

'Helemaal mee eens,' zei ik. 'En als ik u even mag onderbreken, Edelachtbare, wijs ik u graag op de prachtige diamant aan de linkerringvinger van mevrouw Stone.'

Nana wuifde mijn logica weg met haar vork. 'Ringen schuif je net zo gemakkelijk om een vinger als je ze er weer van afhaalt. Ik hoop dat je me niet kwalijk neemt dat ik het zeg, maar je hebt een verleden met vrouwen. En niet in positieve zin.'

Touché – ontkennen had geen zin. Waarom weet ik niet, maar nadat mijn eerste vrouw, Maria, jaren geleden was vermoord, was ik er nooit meer in geslaagd een stabiele relatie op te bouwen.

Tot ik Bree leerde kennen.

'Misschien voel je je beter,' zei ik, 'als ik je vertel dat ik Bree gister naar de Immaculate Conception heb meegenomen, en haar daar, voor het aangezicht van God en het scheppingsverhaal, nogmaals heb gevraagd met me te trouwen.'

'En wat was haar antwoord?' vroeg Nana met een uitgestreken gezicht.

'Ze moet er nog op terugkomen. Maar even serieus, Nana, waar komt dit vandaan? Heb ik hier aanleiding toe gegeven?'

Ze was nu aan haar halve worstje toegekomen en stak een vinger op om me te laten wachten terwijl ze het cilindervormige ding liefdevol, eerbiedig bijna, verslond. Vervolgens keek ze op alsof we aan een heel nieuw gesprek begonnen en zei: 'Je weet dat ik dit jaar negentig word?'

Ze zei het met een glimlach – volgens mij werd ze tweeënnegentig – maar evengoed joegen haar woorden me de stuipen op het lijf.

'Nana, hou je iets voor me achter?'

'Nee, nee,' zei ze. 'Ik ben zo gezond als een vis. Kon niet beter. Ik denk vooruit, dat is alles. Niemand heeft het eeuwige leven. Althans, niet dat ik weet.'

'Denk liever iets minder ver vooruit, oké? Trouwens, je bent geen auto-onderdeel. Je bent honderd procent onvervangbaar.'

'Onzin!' Ze boog zich voorover en legde haar hand op die van mij. 'Bovendien ben jij een sterke, capabele, geweldige vader. Maar je kunt het niet alleen, Alex. Niet zoals je de andere helft van je leven hebt geleefd.'

'Dat kan zo zijn, maar dat is niet de reden dat ik met Bree trouw,' zei ik. 'En het zou ook helemaal geen goede reden zijn.'

'Ik kan anders slechtere bedenken. Maar verknal het niet, jongeman,' zei ze, en ze leunde weer achterover en gaf me een knipoog, om te laten zien dat ze een grapje maakte.

Wat natuurlijk niet wil zeggen dat ze het niet meende.

HOOFDSTUK 38

Ik kwam die ochtend met een goed gevoel over het begin van die dag in het St. Anthony's. Mijn gesprek met Nana was misschien enigszins moeizaam verlopen, maar wel productief geweest. Ik had het gevoel dat we weer in hetzelfde team zaten. Misschien was het een voorteken dat het in meer algemene zin ook beter zou gaan.

Maar aan de andere kant, misschien ook niet.

Bronson James' maatschappelijk werker, Lorraine Solie, zat in de hal op me te wachten. Zodra ik haar gezwollen rode ogen zag, draaide mijn maag zich om.

'Lorraine? Wat is er gebeurd?'

Ze begon het uit te leggen en barstte in tranen uit. Lorraine was lang en dun, maar ik had al een paar keer meegemaakt dat ze tegen grote, agressieve kerels haar mannetje stond. Dit kon maar één ding betekenen, namelijk het ergst denkbare.

Ik ging haar voor naar mijn kamer en we gingen op de kunstleren bank zitten waarop Bronson normaal gesproken tijdens onze sessies plaatsnam.

Ten slotte moest ik het wel vragen. 'Lorraine, is hij dood?'

'Nee,' zei ze terwijl ze in haar ogen wreef. 'Maar hij is neergeschoten, Alex. Hij ligt met een kogel in zijn hoofd in het ziekenhuis, en ze verwachten niet dat hij nog wakker wordt. Persisterende... zoiets.'

'Persisterende vegetatieve status.' Mijn stem klonk in mijn oren alsof hij ergens anders vandaan kwam. Ik was verbijsterd.

Dat was misschien naïef, maar ik was het wel. Ik was altijd bang geweest dat Bronson dit zou overkomen, en nu was het zover. Het verklaarde meteen waarom ik altijd had geprobeerd niet te veel om die jongen te geven – waarin ik overigens niet was geslaagd.

'Wat is er gebeurd?' vroeg ik. 'Vertel me het hele verhaal. Alsjeblieft.'

Langzaam en met horten en stoten vertelde Lorraine het verhaal. Hij had blijkbaar een poging gedaan een drankzaak in Congress Heights te beroven – Cross Country Liquors heette de winkel. De naam, Cross, was wel erg toevallig, maar ik besteedde er verder geen aandacht aan. Ik dacht aan Bronson en verder niets.

Dit was, voorzover wij wisten, de eerste keer dat hij had geprobeerd een gewapende overval te plegen. Hij was met een pistool in zijn hand de winkel in gelopen, maar de eigenaar had er ook een, wat niet erg verrassend is. De MPD had Congress Heights als probleemwijk aangewezen en er waren veel geweldsmisdrijven. Deel van het probleem was dat de lokale bevolking genoeg van het geweld had en terug begon te slaan – op straat, thuis en in hun winkels.

Er was een woordenwisseling geweest. Bronson had als eerste geschoten, en gemist. De man schoot terug en trof Bronson in zijn achterhoofd. Pop-Pop had geluk gehad dat hij überhaupt nog leefde, als je het tenminste zo kon noemen.

'Waar is hij, Lorraine? Ik moet hem zien.'

'Hij ligt in het Howard, maar ik weet niet waar de ziektekostenverzekering hem uiteindelijk naartoe brengt. Zoals je weet verandert het opvangsysteem om de haverklap. Het is een zootje.'

'En het wapen? Hebben we enig idee hoe hij daaraan is gekomen?'

'Joost mag het weten,' zei ze bitter. 'Alex, hij heeft nooit een eerlijke kans gehad.'

Dat was in meerdere opzichten waar. Mijn inschatting was dat het een initiatie van een bende was geweest, en dat degene die hem daar naar binnen had gestuurd, precies had geweten wat zijn kansen waren. Zo werkte het. Als hij het voor elkaar kreeg, wilden ze hem hebben; lukte het hem niet, dan hadden ze toch niets aan hem gehad.

Verdomme, wat haat ik deze stad soms. Of ik hou te veel van Washington en kan er niet tegen dat de stad zo diep is gezonken.

HOOFDSTUK 39

Denny stond aan de rand van het Waterfront Park en hield de boel in de gaten terwijl Mitch zijn gewicht beurtelings van de ene naar de andere voet verplaatste en een grote beker Mountain Dew leegdronk.

'Waarom zijn we hier, Denny? Ik bedoel, ik vind alles best, hoor, daar niet van.'

'Het is allemaal onderdeel van het grotere geheel, Mitch. Let op of je iemand ziet internetten.'

Het was een drukte van jewelste in het park, dat van Key Bridge tot aan het Thompson Boat Center liep: toeristen, mensen uit de buurt en studenten genoten nu het nog niet zo vochtig was van het voorjaarsweer. Een onvermijdelijk percentage zat over een laptop gebogen, en het kon niet anders of weer een percentage dáárvan beschikte over een draadloze internetverbinding.

Mitch en Denny splitsten zich op, waarmee ze twee vliegen in één klap sloegen: zo konden ze ieder hun krantjes verkopen en ondertussen naar een geschikt doelwit uitkijken.

Na een halfuurtje kwam een stelletje corpsballen dat door Denny in de gaten was gehouden overeind om een potje te frisbeeën op het gazon. Hij ging vlakbij in het gras zitten en gebaarde naar Mitch, die een positie bij het gaashek langs de rivier innam.

Op het moment dat het spel zich zo ver van Denny afspeelde dat ze niet veel verder meer van hem verwijderd zouden raken, gaf hij Mitch het afgesproken teken – hij krabde zich even op zijn hoofd – en begon Mitch zijn idiote dans op te voeren.

Hij schreeuwde zo hard hij kon. Hij klapperde met zijn armen. Hij sloeg zijn handen in het hek en trok eraan, als een wilde in zijn kooi. En gedurende minstens een halve minuut keek iedereen in de directe omgeving naar hem.

Denny werkte snel. Hij pakte een van de laptops van de corpsballen, een fraaie, kleine MacBook Air, schoof hem tussen de stapel kranten, stond op en maakte dat hij wegkwam, linea recta het park uit.

Toen hij onder de Whitehurst Freeway door liep, hoorde hij Mitch nog steeds – hij ging veel langer door dan nodig was. Niet dat dat kwaad kon, integendeel: ze zouden er zo meteen hartelijk om lachen, hijzelf in ieder geval wel. Tjonge, wat kon die een lol hebben.

De Suburban stond halverwege de heuvel geparkeerd, in een zijstraat bij het Chesapeake-and-Ohiokanaal. Denny stapte in, zette de computer aan en ging meteen aan de slag.

Na tien minuten stapte hij alweer uit, slechts één ding in zijn gedachten.

Hij liep naar het oude kanaal en ging de gammele houten trap af, tot hij zo'n acht meter onder het straatniveau op het voormalige jaagpad stond. Daar werd veel gejogd, maar hij had zijn sigaret pas voor de helft opgerookt toen er al een rustig moment kwam.

Hij boog zich voorover en liet de laptop voorzichtig in het troebele water glijden; hij zonk in een mum van tijd naar de bodem, hoogstwaarschijnlijk om nooit meer aan de oppervlakte te komen. Het was bijna té eenvoudig.

Missie volbracht, dacht Denny en hij glimlachte en klom de trap op om die halve wilde van een Mitch te gaan zoeken.

HOOFDSTUK 40

Het was die middag een gekkenhuis op de burelen van *True Press*, maar dat was het op alle dagen dat de deadline verstreek. Om zeven uur moest de definitieve kopij bij de drukker zijn, en er was nog geen drukproef gecorrigeerd en de tijd vloog.

Colleen Brophy wreef in haar ogen en probeerde zich op het redactioneel commentaar te concentreren. Ze was nu twee jaar hoofdredacteur en ze hield van haar werk, maar er was altijd druk. Als de krant niet op tijd viel, hadden tachtig daklozen niets te verkopen, en voor die mensen hield dat in dat ze dan tussen een ontbijt, een lunch en het avondeten moesten kiezen.

Dus toen Brent Forster, een van de stagiaires, haar gedachtegang die dag voor de tigste keer verstoorde, kostte het Colleen de grootst mogelijke moeite hem niet te lijf te gaan.

'Hé, Coll? Zou je hier even naar willen kijken? Het is heel interessant. Coll?'

'Zolang er niets in brand staat, los je het maar zelf op,' snauwde ze het studentje toe.

'Laten we in dat geval maar zeggen dat er iets in brand staat,' zei hij.

Ze hoefde zich alleen maar om te draaien om over zijn schouder te kunnen kijken – een van de weinige voordelen van een piepkleine werkkamer delen.

Op zijn scherm stond een e-mailtje. De verzender was ene jayson.wexler@georgetown.edu, het onderwerp VOSSEN IN HET KIPPENHOK.

'Ik heb geen tijd voor spam, Brent. Nu niet, nooit niet.'

De jonge stagiaire rolde zijn stoel opzij. 'Lees het nou maar even, Coll.'

HOOFDSTUK 41

aan alle inwoners van DC

er zijn vossen in het kippenhok. ze komen 's nachts, als niemand oplet, en ze nemen wat hun niet toekomt. ze worden dik terwijl anderen hongerlijden en ziek worden, en sommigen zelfs doodgaan.

er is maar één oplossing voor de vossen. onderhandelen heeft geen zin, proberen ze te begrijpen ook niet. wacht tot ze op de plek zijn waar jij je verscholen houdt en jaag ze een kogel door het hoofd. uit onderzoek is gebleken dat de kans dat dode vossen stelen 100 procent kleiner is, ha ha.

dit is nog maar het begin. het stikt van de vossen. ze zitten in de regering, in de media, op scholen, in kerken, in de strijdkrachten, op wall street, noem maar op. en ze maken ons land kapot. durft iemand te beweren dat dat niet waar is?

vossen, luister goed. we komen jullie halen. we achtervolgen jullie en we doden jullie voordat jullie nog meer schade kunnen aanrichten. verander nu jullie gedrag of je zult het berouwen.

god zegene de verenigde staten van amerika!

is getekend, een patriot

Colleen duwde haar bureaustoel van de computer af. '"Een patriot?" Is dit serieus?'

'Grappig dat je dat vraagt,' zei Brent en hij klikte een tweede e-mailtje aan. 'Althans, niet écht grappig, kijk maar.'

aan TRUE PRESS – laat de politie van DC weten dat dit geen grap is. we hebben een vingerafdruk achtergelaten op de bronzen leeuw van de law enforcement memorial, aan de straatkant. ze zullen zien dat het dezelfde vingerafdruk is als die jullie eerder hebben gevonden.

Colleen draaide zich weer om.

'Moet ik de politie bellen?' vroeg Brent.

'Nee, dat doe ik wel. Bel jij de drukker. Zeg dat we een à twee dagen te laat zijn, en dat ik er deze keer twintigduizend wil, en duizend exemplaren extra van vorige week, als financieel extratje.'

'Twintigduizend?'

'Dat heb je goed gehoord,' zei ze. 'En als een van de verkopers vragen stelt, zeg dan maar dat het het wachten meer dan waard is.' Colleen glimlachte, voor de eerste keer die dag. 'Iedereen zal deze week extra eten kunnen kopen.'

HOOFDSTUK 42

Toen we het bericht over de e-mails aan *True Press* ontvingen, belde ik een oud contact bij de cyberafdeling van de FBI, Anjali Patel. We hadden samen aan de DCAK-zaak gewerkt en ik wist dat ze tegen de druk bestand was.

Niet veel later meldden Anjali en ik ons op de burelen van het krantje – een kamer in een kerk op E Street.

'Jullie kunnen niet tegenhouden dat we dit drukken!'

Dat was het eerste wat Colleen Brophy zei toen we ons hadden voorgesteld.

Terwijl wij met de drie andere redactieleden van de krant op elkaar gepakt in de kleine kamer stonden, hamerde mevrouw Brophy, de hoofdredacteur van de krant, driftig verder op haar toetsenbord.

'Wie heeft die e-mails in eerste instantie geopend?' vroeg ik de kamer rond.

'Ik.' Een sjofel, studentikoos jochie stak zijn hand op. Op zijn T-shirt stond: VREDE, GERECHTIGHEID EN BIER. 'Ik ben Brent Forster,' voegde hij eraan toe.

'Brent,' zei ik, 'dit is agent Patel. Zij is je nieuwe beste vriendin. Ze gaat jouw computer even bekijken. Nu.' Ik kende Patel goed genoeg om te weten dat ze deze kant van de zaak uitstekend in haar eentje wist af te handelen.

'En mevrouw Brophy?' vroeg ik terwijl ik de deur naar de gang openhield. 'Zou ik u even buiten kunnen spreken?'

Ze stond met duidelijke tegenzin op en griste een pakje sigaretten van haar bureau. Ik volgde haar naar het einde van de gang. Ze opende een raam en stak er eentje op.

'Kunnen we het kort houden?' vroeg ze. 'Ik heb vandaag nog meer te doen.'

'Dat geloof ik graag,' zei ik. 'Maar nu u uw primeur heeft, wil ik dat u een beetje meewerkt. Dit is wel een moordzaak.'

'Natuurlijk,' zei ze, alsof ze ons tot op dat moment niet het gevoel had gegeven dat we zo welkom waren als een herpesuitbraak. Zo veel had ik, zij het met moeite, wel begrepen: veel daklozen en in extenso hun advocaten zagen de politie eerder als een obstakel dan als een bondgenoot.

'Er valt niet veel te vertellen,' kwam ze me verder tegemoet. 'We hebben de e-mails een paar uur geleden ontvangen, en aangezien ik ervan uitga dat ze niet van die Wexler komen, heb ik geen idee door wie ze zijn verstuurd.'

'Dat snap ik,' zei ik. 'Maar degene die hier wél achter zit, heeft jullie krant een enorm plezier gedaan. Ik vraag me dan ook af of er een verband is waarmee u ons verder kunt helpen.'

'Ze hebben anders wel een punt, vindt u niet?'

Ze deed me met haar snelle, vurige manier van spreken en hyperactieve handen aan mijn FBI-vriend Ned Mahoney denken. Ik had ook nog nooit iemand zo gehaast zien roken als Ned, en nu Brophy.

'Ik hoop niet dat u die lui tot helden gaat uitroepen,' zei ik tegen haar.

'Wie denkt u dat u voor u heeft?' vroeg ze. 'Ik heb een master in de journalistiek aan Columbia University. En bovendien, ze hebben ons er niet voor nodig iets te worden wat ze al zijn. Ze zijn al beroemd, ze zijn al helden – in ieder geval van iedereen die genoeg lef heeft om het toe te geven.'

Mijn hartslag versnelde. 'Het verbaast me u zo te horen praten. Er zijn vier doden gevallen. Dit zijn misdadigers, geen helden.'

'Weet u hoeveel mensen er jaarlijks aan onderkoeling sterven?' vroeg ze. 'Of omdat ze geen medicijnen kunnen betalen, om van een bezoek aan de huisarts nog maar te zwijgen? Die slachtoffers van u hadden ervoor kunnen zorgen dat het leven van mensen niet slechter, maar beter was geworden, maar dat deden ze niet. Ze zorgden voor zichzelf, en dat was dat. Ik ben geen voorstander van eigenrichting, maar ik hou wel van poëzie – en dit heeft wel iets poëtisch, vindt u niet?'

Ze was dan misschien defensief, ze was niet dom. Deze zaak kon weleens een pr-nachtmerrie worden, precies om de redenen die zij beschreef. Maar ik was daar niet om met mevrouw Brophy in discussie te gaan. Ik had mijn eigen agenda.

'Ik heb een lijst van al uw verkopers, adverteerders, donoren en personeelsleden nodig,' zei ik.

'Die krijgt u niet,' zei ze onmiddellijk.

'Ik ben bang van wel. We kunnen wachten tot de openbare aanklager een beëdigde verklaring heeft opgesteld, de rechter een dagvaarding heeft uitgebracht en een agent die hier heeft gebracht. Of ik ben hier in een minuut of vijf vertrokken. Zei u niet dat u nog meer te doen had?'

Ze keek me even vinnig aan, drukte haar sigaret buiten het raam uit en stopte de peuk in haar zak. 'Denk maar niet dat die mensen vaste adressen hebben,' zei ze. 'Het lukt u nooit hen allemaal te vinden.'

Ik haalde mijn schouders op. 'Reden te meer om meteen te beginnen.'

HOOFDSTUK 43

Een kwartiertje later stak ik het plein voor de Church of Our Lady over en zag aan weerszijden van de straat een hele meute persmuskieten staan.

Vervolgens zag ik Max Siegel. Althans, zijn achterkant.

Hij stond met een stuk of tien journalisten te praten; hij blokkeerde de stoep en liet zijn mond het werk doen.

'Onze cyberafdeling volgt het spoor,' hoorde ik hem zeggen toen ik dichterbij was gekomen, 'maar we gaan ervan uit dat het is wat het lijkt te zijn: een gestolen laptop.'

'Agent Siegel?' Hij en alle anderen draaiden zich om, en in een mum van tijd was mijn gezicht door microfoons en camera's omgeven. 'Kunnen we even praten?'

Siegel grijnsde van oor tot oor. 'Natuurlijk,' zei hij. 'Sorry jongens, neem me niet kwalijk.'

Ik liep het kerkhof op en wachtte tot hij me gevolgd was. Daar hadden we iets meer privacy. Minder fotografen, daar.

'Wat is er, Cross?' vroeg hij terwijl hij dichterbij kwam.

Ik draaide mijn rug naar de pers en praatte met gedempte stem. 'Je moet een beetje oppassen met wie je praat.'

'Wat bedoel je precies?' vroeg hij. 'Ik kan je niet volgen.'

'Ik bedoel dat ik Washington, inclusief de helft van de mensen die daar op de stoep staan, beter ken dan jij. Stu Collins? Probeert de volgende Woodward en Bernstein te worden, en heeft daarvoor alles in huis, behalve het benodigde talent. Hij zal je woorden verdraaien. En Shelly... hoe heet ze ook weer, die met die grote rode microfoon? Als ze maar enigszins de kans krijgt, levert ze kritiek op de FBI. We hebben al een lek gehad, we kunnen ons er niet nog een veroorloven. Ik wil het risico niet lopen, jij wel?'

Hij keek me aan alsof ik Swahili had gesproken. En toen besefte ik nog iets.

'O, nee! Vertel me alsjeblieft dat jij het niet was die met de pers over die auto's in Woodley Park heeft gepraat.' Ik staarde hem aan. 'Zeg dat ik ernaast zit, Siegel!'

'Je zit ernaast,' zei hij. Hij kwam vlak voor me staan en liet zijn stem dalen. 'En beschuldig me niet van zaken waar je geen benul van hebt. Ik waarschuw je...'

'Sodemieter op!' schreeuwde ik, zowel vanwege dat 'Ik waarschuw je' als vanwege het feit dat hij zo vlak voor me stond. Ik had genoeg van zijn flauwekul.

Maar ik had er onmiddellijk spijt van dat ik had geschreeuwd. Het hele persleger stond toe te kijken. Ik ademde diep in en probeerde het nog een keer.

'Luister, Max...'

'Probeer me een beetje te vertrouwen, Alex,' zei hij en deed een stap achteruit zodat er weer wat ruimte tussen ons kwam. 'Ik ben geen groentje. Wat je net zei, zal ik in overweging nemen, maar je moet me wel mijn werk laten doen, ik laat jou ook je werk doen.'

Hij glimlachte zelfs en stak zijn hand uit, alsof hij het wilde bijleggen. Onder het toeziend oog van de voltallige pers schudde ik zijn hand, maar mijn eerste indruk van Siegel veranderde niet. Dit was een agent met een gigantisch ego en een blinde vlek, en helaas kon ik weinig doen om hem tegen te houden.

'Wees wel voorzichtig,' zei ik.

'Ik ben altijd voorzichtig,' zei hij. 'Dat is mijn tweede natuur.'

HOOFDSTUK 44

'Zie je die man daar, Mitchie? Die grote zwarte vent die met die kerel in dat pak staat te praten?'

'Die op Mohammed Ali lijkt?'

'Dat is de smeris, Alex Cross. Die andere is denk ik van de FBI. Dezelfde varkens, verschillende boerderijen.'

'Ze zien er niet erg blij uit,' zei Mitch.

'Dat komt omdat ze iets zoeken wat ze nooit zullen vinden. Wij zijn nu de hoofdact, maatje. Jij en ik, en verder niemand. Niets of niemand kan ons nog iets maken.'

Mitch had het niet meer, hij was te opgewonden om zich te kunnen beheersen.

'Wanneer slaan we weer toe, Denny?'

'Binnenkort. Eerst moeten we onze boodschap verspreiden, de mensen achter ons krijgen. En dan... bam! Zodra de tijd rijp is, verrassen we hen weer. Dat was de bedoeling van die e-mails: het woord verkondigen.'

Mitch knikte alsof hij het begreep, maar hij deed geen moeite zijn teleurstelling te verbergen. Dat was niet de missie die hij in gedachten had.

'Maak je geen zorgen,' zei Denny. 'Voor je het weet kun je weer aan de slag. En tot die tijd moet je de moed er gewoon in houden! Het wordt geweldig, geloof mij maar.'

De vrachtwagen van Potomac Printers kwam net bij de zijingang van de kerk tot stilstand. Het gerucht ging dat het nog een paar dagen zou duren voordat de nieuwe editie – de editie waar iedereen op wachtte – uitkwam, en daarom hadden ze de krant van de week ervoor herdrukt, om de daklozen nog even vooruit te helpen. Iedereen die hielp uitladen, kreeg dertig krantjes voor niks. Dat betekende, voor hen tweeën, zestig dollar extra, en met zestig dollar kon je wel even vooruit, als het nodig was.

Toen ze naar de truck liepen, kwam er een donderende stem van het kerkhof.

'Sodemieter op!' Het was Alex Cross.

'O-o,' zei Denny. 'Klinkt alsof de tortelduifjes ruzie hebben.'

'De tortelvarkens, bedoel je?' vroeg Mitch, en deze keer was het Denny die het niet meer had.

HOOFDSTUK 45

Ze liepen naar Logan Circle, waar aan de weg werd gewerkt, en toen de avond viel bulkten hun zakken van de briefjes van één dollar en los wisselgeld en was hun stapel kranten verdwenen.

Van het extra geld kochten ze twee overheerlijke broodjes vlees met gegrilde kaas erop, een fles Jim Beam, voor ieder een pakje sigaretten, een paar losse joints van een gast die ze op Farragut Square kenden en, *last but not least*, een slaapplaats in een goedkoop motel aan Rhode Island Avenue.

Denny nam de oude gettoblaster uit de auto mee. Ze hadden geen batterijen, maar ze konden hem hier in het stopcontact steken en hun feestje met een lekker muziekje opluisteren.

Het was heerlijk om voor de verandering eens op een echt matras te liggen en een beetje high te worden zonder je zorgen te hoeven maken dat de lampen uitgingen of je spullen midden in de nacht werden gejat.

Toen er een oud liedje van Lynyrd Skynyrd op de radio kwam, was Denny een en al oor. Dat was lang geleden; Mitch kende het nummer waarschijnlijk niet eens.

'*Cause I'm as free as a bird, now…*'

'Hoor je dat, Mitchie? Luister maar naar de tekst. Daar gaat het om.'

'Waarom, Denny?'

'Om vrijheid, man. Dat is het verschil tussen ons en dat stelletje oplichters dat we hebben omgelegd. Dacht je dat die mensen vrij waren? Echt niet. Ze kunnen hun neus niet snuiten of ze moeten een commissie instellen die de details bestudeert. Dat is geen vrijheid, man. Dan lig je aan de ketting.'

'En dan hebben wij de loop van een m-110 op je snufferd gericht!' Mitch giechelde als een kind. Het kon niet anders of de wiet kwam binnen. Zijn ogen waren twee roze knikkers en hij had het leeuwendeel van de Jim Beam opgedronken.

'Daar ga je, gozer. Drink op,' zei Denny en reikte hem de fles weer aan. Toen liet hij zich achterover zakken en luisterde hij een tijdje naar wijlen de geweldige Lynyrd Skynyrd en telde hij de scheuren in het plafond tot Mitch begon te snurken.

'Hé, Mitchie?' fluisterde hij.

Er kwam geen antwoord, niets. Hij stond op en porde hem in de schouder.

'Knock-out, makker? Daar lijkt het wel op. En zo klinkt het ook.'

Mitch rolde alleen maar half om en ronkte verder, nog iets luider nu.

'Goed dan. Denny moet even een boodschap doen. Slaap lekker, man.'

Hij stapte in zijn zwarte motorlaarzen, pakte de sleutel en was vertrokken.

HOOFDSTUK 46

Denny liep snel over 11th Street en M Street naar Thomas Circle. Het was lekker om weer eens alleen te zijn en Mitch niet in zijn nek te hebben. Je kon lachen met die gozer, maar hij was wel een blok aan zijn been.

Iets voorbij het Washington Plaza Hotel, in de relatieve rust van Vermont Avenue, stond een zwarte Lincoln Town Car onder een bloeiende wilde-appelboom.

Denny liep over de stoep aan de overkant, stak bij N Street over en liep terug. Toen hij bij de auto was, deed hij het achterportier open en stapte in.

'Je bent laat. Waar hing je uit?'

Zijn contactpersoon was altijd dezelfde man, met altijd hetzelfde rothumeur. Hij ging door voor Zachary, maar of dat zijn echte naam was, wist Denny niet. Dat deed er ook niet toe. Voor Denny – die niet echt Denny heette – was deze klootzak een goedbetaald muildier in een maatpak, en anders niets.

'Dit soort dingen verloopt niet volgens een vast schema,' zei Denny. 'Onthou dat toch eens.'

Zachary negeerde Denny's toon. Hij was net Spock, deze vent, hij toonde geen enkele emotie. 'Zijn er problemen?' vroeg hij. 'Is er iets wat ik moet weten?'

'Absoluut niet,' zei Denny. 'Er is geen enkele reden om niet met de volgende stap te beginnen.'

'En hoe zit het met je schutter?'

'Mitch? Zeg jij het maar, makker. Jullie hebben hem doorgelicht, ik niet.'

'Hoe doet hij het in de praktijk, Denny?' drong Zachary aan.

'Precies de vogel die ik had verwacht. Hij weet niet beter of dit is de Mitch-en-Denny-show, en niets anders. Ik heb hem volledig onder controle.'

'Dat is mooi, maar toch willen we extra voorzorgsmaatregelen nemen.'

Hij haalde twee dubbelgevouwen vellen papier uit de binnenzak van zijn jasje en gaf ze aan Denny. Op beide stond een eenvoudige plattegrond, met een handgeschreven naam en adres eronder, en er zat een kleurenfoto bij die er met een paperclip aan vastzat.

'Wacht even,' zei Denny toen hij ze had bekeken. 'Over zoiets hebben we het nooit gehad.'

'We hebben het nooit over de omvang gehad,' zei Zachary. 'Is dat niet het hele punt? Ik hoop niet dat je nu naar uitvluchten gaat zoeken.'

'Dat doe ik ook niet,' antwoordde Denny. 'Ik hou alleen niet van verrassingen, dat is alles.'

Zachary lachte, maar allesbehalve overtuigd. 'Kom nou, Denny. Je bent zelf toch de koning van de verrassing? Heel Washington wacht gespannen af wat je volgende stap is.'

Hij pakte een canvas zakje van de bestuurdersstoel, en legde die op de gestoffeerde armsteun tussen hen in. Ze hadden afgesproken dat er vooraf werd betaald, en over Denny's prijs viel, zoals gewoonlijk, niet te onderhandelen.

In de zakjes lagen zes ongenummerde goudstaafjes van tien ounce per stuk en een zuiverheid van minimaal 99,9 procent. Iets inwisselbaarders dan dat was er niet, en het feit dat het lastig was om aan zulk goud te komen, hielp Denny de goede klanten van de verkeerde te scheiden.

Het kostte hem een paar minuten om de nieuwe opdracht uit zijn hoofd te leren. Daarna gaf hij Zachary de papieren terug en pakte hij in ruil ervoor het zakje. Hij haalde een oude plastic tas van Safeway uit zijn jaszak, wikkelde het zakje erin en opende het portier.

'Eén ding,' zei Zachary toen hij wilde uitstappen. 'Het is hier niet al te ruim. Douche de volgende keer even van tevoren.'

Denny sloeg het portier dicht en liep weg, de nacht in.

'Ik douche wel als dit voorbij is,' zei hij bij zichzelf. 'Maar jij zult altijd dezelfde kruiperige klootzak blijven.'

HOOFDSTUK 47

Een dag later werd er tijdens het avondeten aangebeld. Meestal ging de telefoon, en bijna altijd was het een van Jannies vriendinnen. En dan vroeg ze zich nog af waarom ik haar geen mobiele telefoon wilde geven.

'Ik doe wel open!' jubelde ze, en ze sprong meteen van tafel.

'Wedden om vijf dollar dat het Terry Ann is?' vroeg ik.

Bree legde haar geld op tafel. 'Ik zet in op Alexis.'

Wie het ook zijn mocht, ze had hoe dan ook toestemming van Rakeem.

Maar Jannie kwam vrijwel onmiddellijk terug. Haar gezicht was volkomen uitdrukkingloos, bijna alsof ze in shock was.

En toen kwam Christine Johnson mijn keuken binnen.

'Mammie!' Ali kwam zo snel van zijn stoel dat hij hem omstootte. Daarna rende hij naar haar toe, en zijn moeder tilde hem op en nam hem in haar armen.

'Kijk jou nou toch! Kijk jou nou toch!'

Christine drukte hem stevig tegen zich aan en glimlachte over zijn schouder heen naar ons, met die stralende glimlach die ik me zo goed herinnerde, de glimlach die zei dat alles in orde was – ook al was dat bepaald niet het geval.

'Mijn god,' zei ze terwijl haar blik de tafel rondging. 'Jullie zien eruit alsof jullie een spook hebben gezien!'

In zekere zin voelde het ook zo. Drie jaar geleden hadden we op Christines verzoek een overeenkomst ondertekend waarin de wettelijke voogdij over Ali aan mij werd overgedragen. Zij

zag hem dertig dagen in de zomervakantie en vijftien dagen gedurende de rest van het jaar, bij haar thuis in Seattle. De enige
voorwaarde die ik had gesteld, was dat we ons, in het belang van
iedereen, aan de afspraak zouden houden. Tot dan toe was dat
ook gebeurd. Tot dan toe... Tot die avond.

'Ik kan mijn ogen niet geloven!' Ze zette Ali neer en bekeek
hem van top tot teen. Haar ogen glansden van de tranen die ze
probeerde tegen te houden. 'Hoe heb je het voor elkaar gekregen
sinds de laatste keer dat ik je zag zo hard te groeien?'

'Weet ik niet!' gilde Ali en keek naar ons.

Ik glimlachte, voor hem. 'Kijk eens aan wie daar is! Ongelooflijk, hè?' Ik staarde Christine aan. 'Wat een verrassing.'

'Schuldig,' zei ze, nog steeds glimlachend. 'Hallo, Regina.'

'Christine.' Nana's stem was afgemeten en beheerst. Hij klonk
alsof ze langzaam begon te koken.

'En jij moet Bree zijn. Wat fijn om je eindelijk te ontmoeten.
Ik ben Christine.'

Bree reageerde, wat géén verrassing was, fantastisch. Ze stond
op, liep naar Christine en omhelsde haar. 'Je hebt een geweldige zoon,' zei ze. Typisch Bree: ze vindt altijd een manier om de
waarheid te spreken, zelfs in zo'n ongemakkelijke situatie.

'Mammie, wil je mijn kamer zien?' Ali trok haar al aan haar
hand naar de gang, richting de trap.

'Nou en of,' zei ze en keek over haar schouder naar mij – voor
toestemming, denk ik. Sterker nog, iedereen staarde nu naar mij.

'Waarom gaan we niet met z'n drieën?' vroeg ik en stond op en
liep achter hen aan de keuken uit.

Christine bleef onder aan de trap staan en draaide zich naar
mij om. Ali rende voor ons uit naar boven

'Ik weet wat je denkt,' zei ze.

'Is dat zo?'

'Echt, Alex, het is niet wat het lijkt. Gewoon een verrassings-
bezoek. Ik heb deze week een conferentie in DC, en ik móest Ali
zien.'

Ik wist niet of ik haar moest geloven. Christine had in de loop der jaren bewezen erg wispelturig te zijn, zoals toen ze eerst keihard voor de voogdij vocht en die vervolgens net zo gemakkelijk weer opgaf.

'Je had even kunnen bellen,' zei ik. 'Je had even móeten bellen, Christine.'

Ali stond boven aan de trap en was zo opgewonden dat het weinig had gescheeld of hij had 'Kom op nou, jongens!' geschreeuwd.

'We komen eraan, mannetje!' riep ik naar hem. Terwijl we naar boven liepen, zei ik zacht tegen Christine. 'Dit is eens maar nooit weer. Het blijft bij deze ene keer. Afgesproken?'

'Absoluut,' zei ze en stak haar hand uit om me even in mijn bovenarm te knijpen. 'Erewoord. Hand op mijn hart.'

HOOFDSTUK 48

De volgende dag kwam ik om in het werk en dacht ik, eerlijk gezegd, niet meer aan Christine, terwijl de ochtend en een groot deel van de middag ongemerkt voorbijgingen.

Ik bezocht Bronson en Rebecca in hun respectievelijke ziekenhuizen, voerde een aantal vervolggesprekken met betrekking tot Woodley Park, vergaderde met het OM over een andere zaak en zat een broodnodige hoeveelheid tijd achter mijn bureau om een deel van de stapel achterstallige dossiers weg te werken.

Om een uur of drie – ik haalde net een late sandwich in de Firehook vlak bij het Daly-gebouw – werd ik door Ali's school gebeld.

'Meneer Cross? Met Mindy Templeton van de Sojourner Truth.' Mindy was al jaren de secretaresse van de school, ook in de tijd dat Christine er directrice was.

'Ik vind het vervelend om hierover te bellen, maar Christine Johnson is hier om Alexander op te halen en ze staat niet op zijn verzorgerlijst. Voor we hem meegeven wilde ik u even om toestemming vragen.'

'Wát?!'

Het was niet mijn bedoeling mijn stem zo te verheffen, maar opeens keek iedereen in de broodjeszaak naar mij. In een mum van tijd stond ik buiten, nog steeds met mijn telefoon aan mijn oor. 'Mindy, het antwoord is nee. Christine mag Ali niet meenemen. Begrepen?'

'Ja, natuurlijk.'

'Ik wilde je niet laten schrikken,' zei ik op kalmere toon. 'Zou je Christine willen vragen even te wachten? Ik kom zo snel mogelijk. Het duurt hooguit een kwartier. Ik ben al onderweg.'

Nog voor ik de verbinding had verbroken, rende ik naar de parkeergarage. Ik was pisnijdig. Waar was Christine in godsnaam mee bezig?

Had ze dit gepland?

En wat dat betreft: wat was ze verder nog van plan?

Ik kon niet snel genoeg op Ali's school zijn.

HOOFDSTUK 49

'In godsnaam, ik ben zijn moeder! Ik heb niets verkeerd gedaan! Ik ben niet een van die stalkers van je!'

Christine gedroeg zich vanaf het moment dat ik daar aankwam defensief. We stonden in de gang te bekvechten, terwijl Ali in de administratieruimte wachtte.

'Christine, we hebben hier afspraken over gemaakt, afspraken waar je je altijd aan hebt gehouden. Je kunt hier toch niet ineens opduiken en verwachten dat…'

'Wat?' snauwde ze. 'Brianna Stone, een vrouw die ik ternauwernood ken, mag mijn zoon van school halen, en ik niet? De helft van alle leraren hier weet nog wie ik ben!'

'Je luistert niet,' zei ik. Ik wist niet of ze alleen maar probeerde zich een houding te geven of dat ze echt geloofde dat ze gelijk had. 'Wat wilde je überhaupt met hem gaan doen?'

'Je hoeft me niet zo aan te kijken!' smaalde ze. 'Ik had je heus wel gebeld.'

'Maar dat heb je niet gedaan. En dat is al de tweede keer.'

'Zodra ik hem van school gehaald had, bedoel ik. Ik had een ijsje met hem willen eten, hij zou voor het eten weer thuis zijn. En nu is hij in de war en van streek. Dat was helemaal niet nodig geweest, Alex.'

Het was alsof ik naar een piano luisterde die gestemd moest worden. Alles was net verkeerd. Zelfs haar kleren. Ze was piekfijn gekleed, ze droeg een op maat gesneden wit linnen mantelpak en pumps met open hielen en ze was volledig opgemaakt.

Eerlijk gezegd zag ze eruit om op te vreten. Maar op wie wilde ze nou eigenlijk indruk maken?

Ik ademde diep in en probeerde tot haar door te dringen.

'Wat is er met je conferentie gebeurd?' vroeg ik.

Voor het eerst keek Christine van me weg. Ze staarde naar het mededelingenbord in de gang. Dat stond vol krijttekeningen van auto's, vliegtuigen, treinen en boten, en erboven stond, in letters van gekleurd papier, het woord TRANSPORT.

'Heb je die van Ali gezien?' vroeg ze en wees naar een zeilboot.

Natuurlijk had ik die gezien.

'Christine, kijk me aan. Had je een conferentie of niet?'

Ze vouwde haar armen over elkaar, knipperde een paar keer met haar ogen en keek me aan.

'En als ik er nou geen had? Is het een misdaad dat ik mijn zoon mis? Dat ik dacht dat hij zijn vader en zijn moeder ook weleens in één kamer zou willen zien? God, Alex, wat is er met je aan de hand?'

Ze leek overal een antwoord op te hebben, maar niet op mijn vragen. Het enige wat ik echt geloofde, was dat ze van Ali hield en dat ze hem miste. Maar dat was niet genoeg.

'Oké, we doen het als volgt,' zei ik. 'We gaan een ijsje halen. Daarna zeg je hem gedag en zie je hem weer in juli, zoals gebruikelijk. Zo niet, dan gaan we terug naar de mediator. Dat garandeer ik je, Christine. En het lijkt me verstandig als je me niet gaat uitproberen.'

Tot mijn verbazing glimlachte ze. 'Maak er een etentje van. Wij met z'n drietjes; daarna stap ik op mijn vliegtuig naar Seattle en zal ik braaf zijn. Nou?'

'Ik kan niet,' zei ik.

Haar mond verstrakte weer tot een harde rechte lijn. 'Kan niet? Of wil niet?'

Het antwoord was dat ik niet kon én niet wilde, maar voordat ik nog iets had kunnen zeggen ging de deur van de administratie open, en daar stond Ali. Hij zag er heel eenzaam uit, en bang.

'Wanneer gaan we nou?' vroeg hij.

Christine tilde hem op, net als de avond ervoor. De onweers-bui die net nog in haar ogen had gestaan, was verdwenen, en dat had ik niet van haar verwacht.

'Weet je wat, schatje? Wij gaan nu een ijsje halen. Jij, ik, en papa. Nu meteen. Wat dacht je daarvan?'

'Mag ik twee bolletjes?' vroeg hij meteen.

Ik schoot in de lach, ik kon het niet helpen. 'Altijd onderhan-delen, hè, mannetje?' vroeg ik. 'Ja, twee bolletjes. Waarom niet?'

Toen we weggingen pakte Ali ons beiden bij de hand en glun-derde hij van oor tot oor. Maar ik was niet vergeten dat Christine niet had toegegeven.

HOOFDSTUK 50

Tegen de tijd dat ik eindelijk voor mijn vergadering van halfzes bij het hoofdkantoor van de FBI aankwam, was ik drie kwartier te laat. Ik schreef me in en nam de lift naar de vijfde verdieping. De Information Sharing and Analysis Section waar agent Patel werkte had net zo goed een willekeurige bedrijfsruimte waar dan ook in Amerika kunnen zijn: een doolhof van lelijke geelbruine en zachtpaarse werkplekken, lage plafonds en vierkante tl-bakken. Het enige wat iets verraadde, was het feit dat er zoveel computers stonden; op ieder bureau minstens één voor intern en twee voor extern gebruik. De spullen die er écht futuristisch uitzagen – de enorme rijen met servers en surveillanceapparatuur – stonden elders op de verdieping, achter gesloten deuren.

Patel sprong op toen ik op het halve muurtje rondom haar werkplek klopte.

'Alex! Jezus! Ik schrik me dood.'

'Sorry,' zei ik. 'En sorry dat ik zo laat ben. Siegel is er zeker niet meer?' Ik stond niet echt te springen om mijn dag met hem te beëindigen, maar in naam der samenwerking, ik was er.

'Hij had er genoeg van,' zei ze. 'Hij wacht in de vergaderruimte van het SIOC.'

Ze belde naar zijn toestel en sprak in dat we onderweg waren, maar toen we daar aankwamen – hoe verrassend – was Siegel weg. We wachtten nog even en hielden de vergadering zonder hem. Mij best.

HOOFDSTUK 51

Patel praatte me snel bij over de *True Press*-e-mails. Eigenlijk viel er niet veel over te vertellen, althans, niet in deze fase van haar onderzoek.

'Op basis van de header, het ip-adres en de gegevens uit het register in Georgetown, moet Jayson Wexlers account op het moment dat de berichten verstuurd werden open en actief zijn geweest,' vertelde ze me.

'Wat niet wil zeggen dat Wexler ze zelf heeft verstuurd,' zei ik.

'Precies. Alleen dat ze vanaf zijn account zijn verstuurd of erdoorheen zijn gekomen.'

'Erdoorheen zijn gekomen?'

'Het is mogelijk dat iemand vanaf een locatie op afstand een anonieme remailer heeft gebruikt, maar eigenlijk is daar geen reden toe. Een gestolen laptop die nooit meer te voorschijn komt is een perfecte doodlopende straat, forensisch gezien. Je kunt beter naar getuigen van de diefstal zelf op zoek gaan.'

'We hebben alles en iedereen in de omgeving waar de computer volgens Wexler is gestolen ondervraagd, maar dat heeft niets opgeleverd,' zei ik. 'En de dichtstbijzijnde camera's zijn die van de DDOT op K Street. Van het park worden geen beelden gemaakt. Niemand heeft iets gezien, wat overigens wel een beetje vreemd is.'

Patel leunde achterover en draaide een pen tussen haar vingers heen en weer. 'Zal ik nog even doorgaan? Want er is nog meer slecht nieuws.'

Ik wreef met mijn hand over mijn mond en kaak, een oude tic

van me. 'Jij bent wel het zonnetje in huis vandaag, hè?'

'Formeel gezien begeef ik me op Siegels terrein, wat je nog tegen me kunt gebruiken,' zei ze. Ik werkte graag met Patel. Wat er ook gebeurde, ze behield haar gevoel voor humor – en haar humor was hard en diepzinnig.

'Ga je gang,' zei ik. 'Waar je ook mee op de proppen komt, ik kan het aan.'

'Het gaat om die naam, "een Patriot", die in een van de e-mails is gebruikt. Sinds de *True Press* dat verhaal heeft gedrukt, lijkt die naam te beklijven, op een heel enge manier. Aan beide uiteinden van het spectrum wordt gejuicht: van de radicale antiglobalisten tot de hardcore wapenbezitters. De FBI houdt er al rekening mee dat er, als blijk van hulde, nog meer moorden gepleegd kunnen worden.'

Ze liet me zien wat een eenvoudig open onderzoek op haar laptop opleverde. In een mum van tijd waren er pagina's vol resultaten: websites, blogs, vlogs, chatrooms, gewone commentaren en marginale media die allemaal in het vermeende 'patriottisme' van de scherpschuttermoordenaars geloofden.

Iets dergelijks had ik eerder meegemaakt. Iemand als Kyle Craig had al hele scharen fans, of volgelingen, zoals hij ze zelf graag noemde. Maar Patel had gelijk. Dit had de potentie om veel groter te worden: een *grassroot*-beweging van mensen die vinden dat het hier om niets minder dan Amerika gaat en dat grootschalig geweld de enige oplossing met een kans van slagen is.

'Wil je opzien baren?' vroeg ze. 'Wikkel je dogma dan in een Amerikaanse vlag en kijk wie toehapt. Zoals ik al zei: doodeng.'

HOOFDSTUK 52

Het was bijna halfacht toen Patel en ik eindelijk weg konden. Maar bij de deur draaide ze zich plotseling naar me om. De blik in haar ogen was ondubbelzinnig – en op een heel andere manier doodeng.

'Heb je ooit een thuisgemaakte chana masala geproefd?' vroeg ze.

Ik wilde niet zelfingenomen zijn. 'Thuisgemaakt? Nooit.'

'Ik kan namelijk best goed koken, al zou je dat niet zeggen.' Ze wees op haar onopvallende grijze broek en witte blouse. 'Waarschijnlijk denkt iedereen hier dat ik alleen maar een harde werker ben die thuis zeven katten heeft en elke avond een magnetronmaaltijd eet.'

'Dat waag ik te betwijfelen,' zei ik. Patel had me altijd de klassieke ruwe diamant geleken, zo'n vrouw die er, als er op kantoor kerst wordt gevierd, opeens tiptop uitziet en iedereen met stomheid slaat.

'En mijn auto staat bij de garage,' vervolgde ze. 'Dus als jij me een taxirit bespaart, betaal ik je terug met een dinertje.' Vervolgens bracht ze me echt van mijn stuk. Ze kwam dichterbij en legde haar hand op die van mij. 'Misschien zit er zelfs een toetje in,' zei ze. 'Wat denk je ervan?'

'Ik denk dat je vol verrassingen zit,' zei ik. We lachten beiden een beetje ongemakkelijk. 'Luister, Anjali…'

'O nee.' Ze trok haar hand weg. 'Als ze met je naam beginnen, zit je fout.'

'Ik heb een relatie. We trouwen later dit jaar.'

Ze knikte en pakte haar spullen. 'Je weet toch wat ze over leuke mannen zeggen? Ze zijn bezet of ze zijn homo. Een mooie titel voor mijn memoires. Zou dat een beetje verkopen?'

Dit keer lachten we allebei oprecht. De spanning was uit de lucht, wat volgens mij voor ons allebei fijn was.

'Ik waardeer de uitnodiging,' zei ik, en dat meende ik. In een andere fase van mijn leven was ik zeker chana masala gaan eten. En een toetje misschien ook wel. 'En ik kan je evengoed wel even thuisbrengen, als je wilt.'

'Nee, dat is niet nodig.' Ze klemde haar laptop onder haar arm en hield de deur van de vergaderruimte voor me open. 'Als ik toch niet ga koken, blijf ik hier, nog even wat werk afmaken. En als jij dan vergeet dat we dit gesprek ooit gevoerd hebben…'

'Welk gesprek?' Ik liep met verbaasde ogen naar buiten. 'Waar heb je het over?'

HOOFDSTUK 53

Na een opgewarmde maaltijd en lang nadat de kinderen naar bed waren gegaan, kreeg ik een telefoontje van Christine.

Op het moment dat ik haar naam op de display zag staan, twijfelde ik. Ik kon haar niet botweg negeren, maar ik zat absoluut niet te wachten op nóg een gesprek met haar. Uiteindelijk nam ik toch op, omdat ik haar er per se van wilde weerhouden nog een keer bij ons thuis te komen.

'Wat is er, Christine?'

Onmiddellijk hoorde ik dat ze huilde. 'Het was verkeerd wat je vandaag deed, Alex. Je had me niet zo weg mogen duwen.'

Ik liep al van de slaapkamer naar mijn werkkamer en vervolgde het gesprek pas toen ik de deur achter me had dichtgedaan.

'Eerlijk gezegd moest dat wel,' zei ik. 'Jij komt vanuit het niets aanzetten en, wat erger is, je hebt gelogen. Meer dan eens.'

'Ik loog alleen omdat ik vond dat onze zoon het verdient bij zijn gezin te zijn!'

Het zag ernaar uit dat we binnen recordtijd ruzie kregen, wat in ons geval echt snel was. Ik werd er doodmoe van. Het herinnerde me aan het verschrikkelijke rotgevoel dat ik tijdens de rechtszaak om Ali had.

'Ali is elke dag bij zijn gezin,' zei ik. 'Hij is alleen niet bij zijn moeder.'

Ze snikte weer. 'Hoe kun je zoiets zeggen?'

'Ik wil je geen verdriet doen, Christine. Ik zeg je alleen hoe het is.' Mijn geduld hing intussen aan een zijden draadje. Christine had dit over zichzelf afgeroepen door als moeder zo verschrikkelijk inconsistent te zijn.

'Nou, maak je maar geen zorgen, want je wensen zijn vervuld. Ik sta op het vliegveld.'

'Ik wil alleen dat we allemaal gelukkig zijn met de keuzes die we gemaakt hebben,' zei ik.

'Maar jouw geluk komt op de eerste plaats, toch, Alex? Is dat niet altijd zo geweest?'

En toen brak het zijden draadje.

'Ben je vergeten dat jij míj hebt verlaten?' vroeg ik. 'En ben je ook vergeten dat ik je heb gesmeekt in Washington te blijven? Herinner je je nog dat je Ali achterliet? Of is je daar verdomme helemaal niets van bijgebleven?'

'Vloek niet tegen mij!' schreeuwde ze. Maar ik was nog niet klaar.

'En nu dan? Dacht je nou echt dat je alles wat er toen is gebeurd kon veranderen door doodleuk hier op te duiken? Zo werkt dat niet, Christine, en dat zou ik niet willen ook!'

'Nee.' Haar stem klonk nu koud. IJskoud. 'Dat blijkt.'

Toen verbrak ze de verbinding. Ik was stomverbaasd, maar ook opgelucht. Misschien was dit een soort test, om te zien of ik zou terugbellen, maar ik kwam allerminst in de verleiding. Ik leunde achterover, staarde naar het plafond en probeerde mijn zelfbeheersing terug te krijgen.

Het was stuitend om te bedenken hoeveel ik ooit van Christine had gehouden. Toentertijd wilde ik niets liever dan voor altijd bij haar zijn. Nu leek die wens zich in het verleden van iemand anders te hebben afgespeeld.

Nu wilde ik alleen nog maar dat Christine uit mijn leven verdween.

HOOFDSTUK 54

Even na middernacht liep agent Anjali Patel het Hoover-gebouw uit en keek ze met gestrekte hals E Street af, op zoek naar een taxi. Max Siegel stond op de hoek met 10th, en zodra hij haar zag, trok hij op en liet het raampje aan de passagierskant zakken.

'Heeft u een taxi nodig?'

Ze boog voorover om te zien wie er in de auto zat en gaf hem een fraai inkijkje in haar decolleté. 'Max? Wat doe jíj hier? Het is laat.'

'Sorry van die vergadering,' zei hij. 'Ik werd plotseling weg-geroepen. Ik kwam net terug om mijn auto te halen, maar mis-schien kan ik je een lift geven, dan kun jij me ondertussen bijpra-ten.'

De blik die ze op de straat wierp sprak boekdelen. Nergens een taxi te zien; er was sowieso niet veel verkeer.

Max Siegels medewerkers leken hem bij voorkeur op afstand te houden, wat precies zijn bedoeling was. Die afstand verschaf-te hem de privacy die hij nodig had, en kon indien nodig altijd worden overbrugd. Zoals nu.

'Kom,' zei hij. 'Ik bijt niet. Ik zal zelfs niet achter Cross' rug over hem praten. Dat beloof ik.'

'Hm... graag,' zei ze geforceerd glimlachend, en ze stapte in.

Haar parfum had iets citroenachtigs, rook hij. Of haar sham-poo. Lekker, in ieder geval. Vrouwelijk. Ze gaf hem een adres op 15th Street in Shaw.

Vervolgens kletste ze tien minuten lang over de zaak, waarbij ze ervoor zorgde dat er geen detail ontbrak; ze liet geen ruimte voor een ongemakkelijk gesprek over koetjes en kalfjes.

Siegel reed snel en scheurde als het even kon nog net door oranje. Hij was sinds de makelaarster niet meer met een vrouw alleen geweest, en hij hoefde verdomme maar aan haar te denken of hij kreeg al bijna een erectie.

Toen hij haar straat indraaide, drukte hij het gaspedaal nog één keer in, liet de auto in zijn vrij uitrijden en stopte voor de donkere winkelpui iets voorbij het gele bakstenen huis waar zij woonde.

'Stop, je was er al,' zei ze, achteromkijkend. 'Je bent langs mijn huis gereden.'

HOOFDSTUK 55

Ook Kyle keek over zijn schouder. Er was geen verkeer, en er waren geen voetgangers in de straat.

'O sorry. Mijn fout.'

'Oké, goed...' Ze had haar hand al op de deurhendel gelegd. 'Bedankt voor de lift.'

'Is dat alles?' vroeg hij.

'Pardon? Wat bedoel je?'

'Kijk, dit had het moment moeten zijn waarop jij aanbiedt voor me te koken,' zei hij.

Ze trok een lang gezicht en tuurde hem in het donker met samengeknepen ogen aan; waarschijnlijk kon ze nog niet geloven dat dit iets anders dan bizar toeval was. 'Ik ben geen goede kok, Max.'

'O, dat weet ik zo net nog niet,' zei hij. 'Weleens zo'n apparaatje gezien?' Hij tastte in zijn borstzak en haalde er een klein zwart doosje uit, niet groter dan een aansteker. 'Het is zo'n ultrakleine draadloze zender. Je kunt hem praktisch overal in stoppen.'

Patel wierp er een vluchtige blik op. 'O ja?' vroeg ze. Haar opgelatenheid en haar poging die te verbergen waren ronduit verrukkelijk.

'Laten we het erop houden dat ik eigenlijk toch bij die meeting van jou en Cross aanwezig was.'

Opnieuw veranderde haar gemoedstoestand. Ze was nu zo pissig en gegeneerd dat ze niet meer bang was.

'Heb je onze meeting afgeluisterd? Jezus, Max, waar slaat dat op?'

'Dat is de eerste goede vraag die je hebt gesteld,' zei hij. 'Heb je de tijd voor het antwoord?' Maar voordat ze iets had kunnen zeggen, had hij zijn hand al op haar lippen gelegd. 'Wacht maar, ik vertel het je wel. Je tijd zit erop.'

De ijspriem, zijn oude favoriet, had Patels larynx al doorboord voor ze had kunnen gillen. Toch probeerde ze het nog: haar kaak zakte geluidloos open.

Hij lag nu boven op haar, en zijn mond bedekte die van haar en zijn hand lag op haar neus – letterlijk een doodskus, maar voor iemand die uit zijn raam zou kijken niets anders dan een doodgewone kus van twee geliefden in een auto. Haar kracht, haar wil om te leven, verbleekte bij zíjn kracht. Zelfs het bloed-verlies was minimaal, en Patel was te beleefd geweest om te vragen waarom de plastic hoezen nog om de autostoelen zaten.

Of waarom Max Siegel op zo'n onbewolkte avond een regenjas droeg.

Toen ze helemaal niet meer bewoog, nam zijn opwinding nog verder toe. Hij was dolgraag met haar op de achterbank gekropen, haar lippen nog warm, haar schoot nog zacht. Hij wilde in haar zijn. En waarom ook niet; hij bezat haar.

Maar het zou dwaas zijn dat risico te nemen, en bovendien onnodig. Hij had allang besloten dat hij die avond een uitzondering op zijn vaste gewoontes zou maken. Hij had het tenslotte verdiend, en het was aan hem om de spelregels te veranderen. Sterker nog, er stonden zoveel veranderingen op stapel.

Maar nu ging Anjali Patel eerst met hem mee naar huis – voor een logeerpartijtje.

DEEL DRIE

Veelvormigheid

HOOFDSTUK 56

Sampson wist dat ik meestal om vijf uur en soms zelfs nog eerder wakker was, maar vandaag had dat niet uitgemaakt. Uit de straatgeluiden op de achtergrond en de spanning in zijn stem maakte ik op dat hij al aan het werk was.

'Ik moet je om een gunst vragen, Alex. Misschien wel een erg grote gunst.'

Instinctief begon ik mijn eieren sneller te eten, terwijl Nana me een afkeurende blik toewierp. Bij ons thuis betekenen extreem late en extreem vroege telefoontjes weinig goeds.

'Zeg het maar,' zei ik. 'Ik luister. Ondertussen houdt Nana me in de gaten. Ik weet niet of haar kwaaie blik voor jou, voor mij of voor ons allebei bedoeld is.'

'O, voor jullie allebei,' zei Nana zo zacht dat je abusievelijk zou kunnen denken dat het een grom was.

'We hebben een lijk op Franklin Square. Een onbekende. Maar hij lijkt op die mafketel van afgelopen herfst, op Washington Circle.'

Mijn vork stopte halverwege mijn mond. 'Die met die cijfers?'

'Die bedoel ik. Gaat het je lukken hiernaartoe te komen voordat er te veel belangstellenden zijn? Dan kan ik even met je overleggen.'

'Ik kom eraan.'

John en ik hielden bij hoeveel wederdiensten we elkaar verschuldigd waren. Het was onze ongeschreven regel dat je er bent als het nodig is, maar dan moet het wel écht nodig zijn.

Ik knoopte mijn stropdas terwijl ik de trap naar de garage af liep. Buiten schemerde het nog, maar er was genoeg licht om te zien dat er een dik, leigrijs wolkendek boven me hing – er was zwaar weer op komst.

Op basis van wat ik me van die vorige zaak van Sampson herinnerde, leek dit me een geval dat het Metropolitan Police Department zich nu niet kon veroorloven.

Vijf maanden geleden was er een doodgeslagen dakloze gevonden bij wie er cijfers in zijn voorhoofd waren gekrast. Waarschijnlijk zou het op de voorpagina's van alle kranten van Washington hebben gestaan als de arme man geen junk was geweest. Zelfs bij Moordzaken had de zaak niet veel aandacht gekregen – niet bepaald rechtvaardig, maar als je je druk maakt over wat rechtvaardig is, kun je in Washington wel aan de gang blijven.

En nu was het dus opnieuw gebeurd. Maar inmiddels stond de zaak er anders voor. Want nu het publieke debat door de scherpschutterzaak werd beheerst, was de top van de MPD zeer gevoelig voor zaken die nog meer ophef konden veroorzaken. Ze zouden dit nog voor het eind van de ochtend aan de afdeling Bijzondere Zaken doorspelen.

Waarschijnlijk had John me om die reden gebeld. Als de zaak toch naar mijn afdeling ging, kon ik zeggen dat ik er de verantwoordelijkheid voor zou nemen omdat ik er al in geadviseerd had, om vervolgens Sampson de leiding terug te geven. Onze manier van creatief boekhouden, zogezegd. God weet dat dat niet de eerste keer zou zijn.

HOOFDSTUK 57

De getallenmoordenaar – jezus, niet nu!

Toen ik op Franklin Square aankwam, waren de ingangen al afgesloten. Er stonden patrouillewagens langs de langere K Street- en Eye Streetzijden van het rechthoekige park, hoewel iedereen zich had verzameld bij 13th, waar Sampson al naar me stond te gebaren.

'Schat,' zei hij toen ik bij hem was, 'je bent mijn redder in nood. Ik weet dat de timing waardeloos is.'

'Laten we gaan kijken.'

Twee plaats-delicttechneuten in blauwe windjacks waren binnen het afgezette gebied aan het werk, in gezelschap van een lijkschouwer die ik moeiteloos van achteren herkende.

Porter Hennings was nogal aan de gezette kant, en bij hem vergeleken was de reus Sampson bijna gracieus. Ik heb me weleens afgevraagd hoe Porter zich in kleinere plaatsen delict weet te persen, maar er zijn weinig lijkschouwers die zo inzichtelijk te werk gaan als hij.

'Alex Cross. We zijn zeer vereerd met je komst,' zei hij terwijl ik dichterbij kwam.

'Het is zijn schuld.' Ik wees met mijn duim naar Sampson, maar toen ik het slachtoffer zag bleef ik abrupt staan.

Mensen zeggen dat extreme gevallen mijn specialiteit zijn, wat wel een beetje waar is, maar aan de vernederingen die een mens kan ondergaan raak je nooit gewend. Het slachtoffer was met zijn gezicht naar boven in de bosjes achtergelaten. De vuile kleren die hij in lagen over elkaar heen droeg maakten duidelijk dat hij dakloos was; misschien had hij daar in het park liggen slapen. En hoewel er sporen van ernstige mishandeling waren, ging de aandacht onmiddellijk naar de in zijn voorhoofd gegraveerde cijfers uit. Net als bij de voorgaande moorden was het te bizar voor woorden.

2^30402457-1

'Zijn het dezelfde cijfers als vorige keer?' vroeg ik.

'Bijna,' zei Sampson, 'maar niet helemaal.'

'En we kennen het slachtoffer niet?'

John schudde zijn hoofd. 'Ik heb er al een paar mensen op uit-gestuurd, maar de meeste zwervers die op bankjes lagen te sla-pen, maakten dat ze wegkwamen toen we aankwamen. Zoals je weet is vertrouwen hier ver te zoeken.'

Dat wist ik maar al te goed. Dat was een van de redenen dat het zo moeilijk was om zaken met dakloze slachtoffers op te lossen.

'Een eindje verderop, op 13th Street, zit een daklozenopvang,' vervolgde John. 'Daar ga ik naartoe als we hier klaar zijn, eens kijken of daar iemand is die iets van deze man weet.'

Over de plaats delict zelf viel niet veel te zeggen. Er stonden verse voetafdrukken in de modder, van platte zolen: geen laar-zen of sportschoenen. Er waren ook groeven, van een winkelwa-gentje misschien, maar die hadden er voor hetzelfde geld niets mee te maken. Er reden hier de hele dag daklozen rond. Dag en nacht, eigenlijk.

'En verder?' vroeg ik. 'Porter? Heb jij al iets ontdekt?'

'Ja. Dat ik er niet jonger op word. En daarnaast zou ik zeg-gen dat hij uiteindelijk aan een klaplong is gestorven, hoewel hij waarschijnlijk eerst hier, hier en hier is geraakt.'

Hij wees op de verbrijzelde zijkant van het hoofd van de dode man. Het oor was met een roze drab gevuld. 'Schedelbasisfrac-tuur, gebroken kaakbeen en jukbeen, de hele flikkerse boel. Het is een geluk bij een ongeluk dat die arme kerel toen het gebeurde waarschijnlijk al finaal van de wereld was. Hij draagt overal sporen van de naald.'

'Allemaal net als in het vorige geval,' zei Sampson. 'Het moet dezelfde griezel zijn.'

'En die gravure in zijn voorhoofd?' Het was het netste snijwerk dat ik ooit gezien had. De cijfers waren goed leesbaar, de sneden ondiep en precies. 'Wat zijn je eerste gedachten bij die inkepingen, Porter?'

'Die op zijn voorhoofd, dat is nog niets,' zei hij. 'Kijk maar eens naar het klapstuk.'

Hij boog voorover, rolde de man op zijn zij en schoof de achterkant van zijn overhemd omhoog.

$$\zeta(s) = \sum_{n=1}^{\infty} \frac{1}{n^s}$$

'Dat meen je niet.'

De wiskundige vergelijking bedekte het hele stuk van zijn broeksband tot zijn schouderbladen. Zoiets had ik nog nooit gezien. Niet in deze context, in ieder geval. Sampson gebaarde de fotograaf een foto te maken.

'Dit is nieuw,' zei John. 'De vorige getallen stonden alleen op het gezicht. Je zou bijna denken dat onze man heeft geoefend. Misschien op lijken die we nog niet gevonden hebben.'

'Hij wilde hoe dan ook dat jullie dit slachtoffer vonden,' zei Porter. 'Dat komt er nog bij. Gezien het stompe voorwerp waarmee het trauma is veroorzaakt, ligt hier niet voldoende bloed. Iemand heeft deze knul doodgeslagen, hierheen gebracht en toen pas dat kunstzinnige snijwerk uitgevoerd.'

'Doo-doo, doo-doo.' De fotograaf zong een stukje van het thema van *The Twilight Zone*, tot Sampson hem met zijn blik het zwijgen oplegde. 'Sorry, man, maar... Ik ben verdomme blij dat ik jullie werk niet hoef te doen.'

Waarschijnlijk was hij niet de enige.

'Dus het is de vraag waarom hij hier is gebracht,' zei Sampson. 'Wat probeert hij duidelijk te maken? Aan ons? Aan wie dan ook?'

Porter haalde zijn schouders op. 'Wie is er goed in wiskunde?'

'Ik ken een prof aan Howard,' zei ik. 'Sara Wilson. Herinner je je haar?' John schudde zijn hoofd terwijl hij naar de getallen bleef kijken. 'Ik bel haar wel, als je wilt. Misschien kunnen we vanmiddag even naar haar toe rijden.'

'Dat zou fijn zijn.'

Tot zover mijn spoedconsult. Ik had hier geen tijd voor, maar nu ik had gezien waartoe deze griezel in staat was, wilde ik hem net zo graag arresteren als de rest.

HOOFDSTUK 58

Ik kende Sara Wilson al meer dan twintig jaar. Zij en mijn eerste vrouw, Maria, waren tijdens hun eerste jaar aan Georgetown University huisgenoten en waren tot aan Maria's dood goede vrienden gebleven. Nu bleef het bij kerstkaarten en gelegenheidsbezoekjes, maar Sara begroette me met een omhelzing en kende Sampson nog van naam.

Haar kleine, celachtige werkkamer zat in een gebouw met de fantasieloze naam Academic Support Building B op de campus van Howard. De planken die van de vloer tot het plafond aan de muur hingen, stonden propvol boeken, er stond een groot bureau waarop het net zo'n rommeltje was als op dat van mij en op een enorm wit bord waren met verschillend gekleurde markeerstiften wiskundige formules gekrabbeld.

Sampson ging in de vensterbank zitten, ik nam de enige bezoekersstoel.

'Ik weet dat de examens voor de deur staan,' zei ik. 'Bedankt dat je tijd voor ons hebt vrijgemaakt.'

'Ik ben blij dat ik kan helpen, Alex. Als ik tenminste kan helpen.' Ze liet een montuurloos brilletje van haar voorhoofd op haar neus zakken en keek naar het vel papier dat ik haar had overhandigd. Het was een kopie van de op de slachtoffers aangetroffen cijfers en formules. We hadden ook foto's van de plaats delict meegenomen, maar zolang daar geen noodzaak toe was, wilden we haar niet met bloederige details lastigvallen.

Toen Sara naar het papier keek, wees ze meteen naar het gecompliceerdste figuur.

'Dit is de Riemann-zèta-functie,' zei ze. Het was de formule die we die ochtend op de rug van de onbekende man hadden aangetroffen. 'Dat is theoretische wiskunde. Heeft dit echt met een moordzaak te maken?'

Sampson knikte. 'Ik treed liever niet te veel in detail, maar we vragen ons af waarom iemand hiermee bezig zou kunnen zijn. Obsessief, misschien.'

'Daar houden heel veel mensen zich mee bezig,' zei ze. 'Ik ook. De Riemann-hypothese draait om zèta, zonder meer het grootste probleem in de hedendaagse wiskunde. In 2000 heeft het Clay Institute één miljoen dollar uitgeloofd voor degene die kan bewijzen dat de hypothese klopt of onjuist is.'

'Sorry, hypothese van wat?' vroeg ik. 'Je hebt het hier tegen twee jongens die op de middelbare school al niets van algebra begrepen.'

Sara ging rechtop zitten, ze nam er de tijd voor. 'In wezen is het een beschrijving van de frequentie en de verdeling van alle priemgetallen tot in de oneindigheid, en daarom is het ook zo moeilijk. De hypothese is gecontroleerd voor de eerste anderhalf miljard gevallen, maar vervolgens moet je je toch afvragen wat anderhalf miljard vergeleken bij oneindigheid voorstelt.'

'Je haalt me de woorden uit de mond,' zei Sampson met een uitgestreken gezicht.

Sara lachte. Ze zag er nog bijna precies zo uit als in de tijd dat we ons kleingeld bij elkaar legden om kannen bier te kunnen kopen. Dezelfde snelle lach, hetzelfde lange haar dat over haar rug golfde.

'En die twee andere getallenreeksen?' vroeg ik. Dit waren de getallen die bij de slachtoffers in het voorhoofd waren gekrast.

Sara keek voor de tweede keer omlaag, draaide haar laptop en keek in haar internetgeschiedenis.

'Ja, daar heb ik hem. Ik vermoedde het al. Mersenne-getal 42 en 43. Twee van de grootste priemgetallen die op dit moment bekend zijn.'

Ik krabbelde wat aantekeningen neer terwijl ze sprak, zonder precies te weten wat ik opschreef. 'Goed, volgende vraag,' zei ik. 'En wat dan nog?'

'En wat dan nog?'

'Laten we ervan uitgaan dat de Riemann-hypothese wordt bewezen. Wat gebeurt er dan? Wat doet het ertoe?'

Sara overwoog de vragen voordat ze antwoordde. 'Er zijn twee dingen, denk ik. Om te beginnen zijn er praktische toepassingen. Het zou tot een revolutie in de encryptie leiden. Het schrijven en breken van codes wordt een heel nieuw spel, dus dat zou degene achter wie jullie aanzitten in gedachten kunnen hebben.'

'En ten tweede?' vroeg ik.

Ze haalde haar schouders op. 'Gewoon omdat het er is. Het is de theoretische Mount Everest – met het grote verschil dat mensen daadwerkelijk op de top van de Everest hebben gestaan en dit heeft niemand voor elkaar gekregen. Riemann kreeg een zenuwinzinking, en die John Nash in *A Beautiful Mind* raakte er volkomen door geobsedeerd.'

Sara boog zich voorover in haar stoel en hield het papier met de getallen erop voor ons omhoog. 'Laat ik het zo zeggen,' zei ze. 'Als jullie iets zoeken waar een wiskundige echt knettergek van kan worden, dan kun je net zo goed hiermee beginnen. Is dat zo, Alex? Ben je op zoek naar een knettergekke wiskundige?'

HOOFDSTUK 59

Nog voordat de zon op was, vertrokken Mitch en Denny in de oude witte Suburban uit DC, met Denny zoals altijd achter het stuur. Hij had de dag ervoor tegen Mitch een gemakkelijk te verteren kletsverhaal opgehangen, dat erop neerkwam dat hij, nu hij een 'echte man' was, weer contact met zijn familie moest zoeken. Mitch had het voor zoete koek geslikt en het zelfs heel serieus genomen.

In werkelijkheid was het beter als Mitch zo min mogelijk van de ware reden van dit autoritje wist.

Het was ongeveer vijf uur rijden naar Johnsonburg in Pennsylvania, of, dacht Denny toen ze er aankwamen, *Pennshitvania*. De papierfabrieken hier verspreidden dezelfde zure stank als die op de plek waar hij was opgegroeid, aan de Androscoggin. Plotseling herinnerde hij zich zijn eigen wortels, het blanke uitschot: die wortels had hij twintig jaar geleden finaal uit de grond getrokken. Hij was sindsdien meerdere keren de wereld over gereisd, maar dit stadje bracht hem dichter bij huis dan hij ooit had willen komen.

'En als ze nou niet met me wil praten, Denny?' vroeg Mitch voor de tigste keer die ochtend. Hoe dichterbij ze kwamen, hoe driftiger zijn knie op en neer danste; en hij klampte zich aan het gele aapje op zijn schoot vast alsof hij dat stomme beest wilde wurgen. Er zat al een traan in zijn vacht, precies op de plek waar het beveiligingskaartje had gezeten; dat had Mitch er, voordat hij het aapje in zijn jas had gestoken, in de Target in Altoona van af getrokken.

'Rustig nou maar, Mitchie. Als ze je niet wil zien, is dat haar probleem. Je bent een onvervalste Amerikaanse held, man. Vergeet dat niet. Je bent een echte held.'

Ze stopten voor een sombere, kleine twee-onder-een-kap-woning, in een straatje met sombere, kleine twee-onder-een-kapwoningen. Het voortuintje zag eruit als een plaats waar oud speelgoed moest sterven, en er stond een roestige blauwe Escort op blokken op de oprit.

'Dat ziet er best aardig uit,' zei Denny met een gefronst voorhoofd. 'Laten we maar eens gaan kijken of er iemand thuis is.'

HOOFDSTUK 60

Er was zeker iemand thuis. De muziek kwam dwars door de voordeur, een of andere shithit van Beyoncé of zo. Ze hadden al meerdere malen aangeklopt toen het volume omlaagging.

Niet veel later ging de deur open.

Alicia Taylor was knapper dan op de foto van de bewakings-camera, veel knapper. Denny vroeg zich even af hoe Mitch haar ooit in de wacht had weten te slepen, maar toen zag Alicia wie ze voor zich had en trok ze een lelijk, hatelijk gezicht.

'Wat doe jij verdomme hier?' vroeg ze bij wijze van begroeting.

'Hoi, Alicia.' De stem van Mitch was zacht van angst. Hij was duidelijk zenuwachtig, en hield de aap omhoog. 'Ik, ehm... heb een cadeautje voor je gekocht.'

Achter Alicia stond een klein meisje dat hem met grote ogen vanonder haar gevlochten en met kralen versierde pony aan-staarde. Toen ze de speelgoedaap zag, begon ze te glimmen, maar de lichtjes doofden zodra haar moeder begon te praten: 'Destiny, naar je kamer.'

'Wie is dat, mama?'

'Geen vragen, schat. Doe gewoon wat ik zeg. En wel meteen. Vooruit.'

Toen het meisje weer naar binnen was gegaan, leek het Denny de hoogste tijd om zich ermee te bemoeien.

'Hoe maak je het?' vroeg hij, zo vriendelijk als hij kon. 'Ik ben Mitch' maatje en vakkundige chauffeur, maar jij mag me Denny noemen.'

Haar ogen schoten precies snel genoeg langs hem om een giftige blik te kunnen werpen. 'Jou noem ik helemaal niets,' zei ze, en ze wendde zich weer tot Mitch. 'En jou vroeg ik wat je hier verdomme doet. Ik wil je hier niet zien. Destiny ook niet.'

'Vooruit, man,' zei Denny en porde hem in zijn schouder.

Mitch trok een kleine envelop uit zijn zak. 'Het is niet veel, maar alsjeblieft.' Er zaten één briefje van twintig, twee van vijf en vijftig van één in, allemaal verfrommeld. Hij probeerde de envelop door de gescheurde hor heen aan te reiken, maar ze duwde hem terug.

'O, echt niet! Dacht je dat je van zo'n lullig envelopje een vader werd?' Haar stem zakte, en ze kwam iets dichterbij. 'Je bent een oude vergissing, Mitch, dat is alles. Destiny weet niet beter of haar vader is dood, en dat houden we zo. En nu van mijn terrein af, anders bel ik de politie.'

Mitch' ronde gezicht werd zo lang als mogelijk was.

'Neem deze dan ten minste aan,' zei hij.

Hij maakte de hordeur open en toen zij snel een stap achteruit deed, liet hij de speelgoedaap voor haar voeten op de grond vallen. Het was een treurig gezicht. Trouwens, Denny had wel genoeg gezien.

'Goed dan,' zei hij. 'We moeten nog helemaal terug naar Cleveland, dus we gaan weer op weg naar O-hi-O. Neem me niet kwalijk dat we u gestoord hebben, mevrouw. Ik geloof dat dit bezoekje toch niet zo'n goed idee was.'

'Geloof je dat?' vroeg ze, en ze sloeg de deur in hun gezicht dicht.

Toen ze terugliepen, zag Mitch eruit alsof hij ieder moment in huilen kon uitbarsten.

'Het is klote, Denny. Als ze wist wat ik deed, zou ze trots op me zijn. Ik had het haar zo graag willen vertellen…'

'Maar dat heb je niet gedaan.' Denny legde een arm om zijn schouder en praatte zacht. 'Je hebt je aan de opdracht gehouden, Mitchie, en daar gaat het om. Kom, we gaan. Laten we onszelf op weg de stad uit op een Taco Bell trakteren.'

Terwijl hij om de auto heen liep om achter het stuur te gaan zitten, ging Denny's hand naar de holster onder zijn jas en zette hij de veiligheidspal van de Walther 9-millimeter om. Mitch was een grotere held dan hij zelf ooit zou weten. Hij had het leven van zijn dochter gered.

Alicia mocht dan een bijdehand rotwijf zijn, ze had geen flauw idee; en Denny schoot echt niet op een vijfjarig meisje dat niet eens wist wie Mitch was. Deze hele opdracht draaide om het inschatten van risico's, en een risico liepen ze hier niet.

Als het de man in DC niet beviel, zocht hij maar een andere huurmoordenaar.

HOOFDSTUK 61

Eigenlijk was het best een leuke dag geweest – ontspannend en, vooral omdat Mitch' ex zo knap was, verrassend. Ze kwamen 's avonds in het donker in Arlington aan. Mitch had het grootste gedeelte van de reis zuchtend en draaiend naar de zijkant van de weg gekeken.

Maar nu ze Roosevelt Bridge op reden, zat hij kaarsrecht en keek hij strak voor zich uit. 'Wat is dáár aan de hand, Denny?'

In beide richtingen van de snelweg stond een lange file. En er stonden surveillancewagens met flitslichten en agenten in uniform op de weg. Het was geen gewone verkeersopstopping, en op een ongeluk leek het ook niet.

'Controleposten,' zei Denny toen hij besefte wat het was.

Die werden sinds een paar jaar in de stad gehouden, maar normaal gesproken alleen in zeer gewelddadige wijken. Zoiets als dit had hij nog nooit gezien.

'Er moet iets heftigs zijn gebeurd. Iets heel heftigs.'

'Dit bevalt me niks, Denny.' Mitch begon met zijn knie te wippen. 'Zoeken ze sinds Woodley Park geen Suburban?'

'Ja, maar ze zoeken er een die donkerblauw of zwart is. Bovendien houden ze iedereen aan, zie je wel? Verdraaid, ik wou dat we kranten bij ons hadden gehad, we hadden goed kunnen verkopen aan deze file,' vervolgde Denny zo monter mogelijk. 'Dan zouden we een deel van de benzine van vandaag hebben kunnen terugverdienen.'

Maar Mitch trapte er niet in. Hij bleef gespannen in elkaar gedoken zitten terwijl ze langzaam maar zeker naar het begin van de rij kropen.

Toen vroeg Mitch vanuit het niets: 'Hoe komen we eigenlijk aan het geld voor benzine, Denny? En voor die envelop voor Alicia? Ik begrijp niet hoe we dat allemaal kunnen betalen.'

Denny knarste met zijn tanden. Normaal gesproken kon je er rustig van uitgaan dat Mitch geen kritische vragen stelde.

'Niet zo nieuwsgierig, Mitchie,' zei hij. 'Als jij je nou op de grote lijnen concentreert, dan handel ik de rest af. Waaronder dit.'

Ze kwamen bij de controlepost, en een agent met het postuur van een professionele basketbalspeler wenkte hen.

'Rijbewijs en kentekenpapieren, alstublieft.'

Denny pakte ze met een stalen gezicht uit het handschoenenkastje en reikte ze aan. Hier betaalde het zich uit dat ze voor de juiste mensen werkten. Het strafblad van Denny Humboldt was blanco – waarschijnlijk was zelfs die parkeerboete inmiddels verleden tijd.

'Wat is er aan de hand, agent?' vroeg hij. 'Het ziet er heftig uit.'

De agent antwoordde met een wedervraag, terwijl zijn blik over de opgestapelde rotzooi op de achterbank dwaalde. 'Waar komen jullie vandaan?'

'Uit Johnsonburg in Pennsylvania,' zei Denny. 'Geen plek waar u naartoe wilt, denk ik. Wat een gat is dat.'

'Hoe lang zijn jullie daar geweest?'

'We zijn er vanmorgen aangekomen. Het was een dagtochtje. Dus u kunt er verder niets over zeggen?'

'Inderdaad.' De agent gaf hem de papieren terug en gebaarde. 'Doorrijden, graag.'

Terwijl ze optrokken, vouwde Mitch zijn handen over zijn knie en zuchtte diep. 'Dat scheelde maar een haartje,' zei hij. 'Die klootzak wist iets.'

'Welnee, Mitchie,' zei Denny. 'Hij wist helemaal niets. Het is met hem net als met de rest: ze hebben geen flauw idee.'

Het kostte niet veel moeite op de radio te vinden wat er aan de hand was. Het gerucht ging dat de 'Patriot van DC' weer had toegeslagen. Een niet nader genoemde politieman was van grote afstand neergeschoten, aan de oevers van de Potomac.

Toen ze over Roosevelt Bridge de stad in reden, zagen ze aan hun linkerhand massa's wagens van wetshandhavers op Rock Creek Parkway staan. Denny loeide uit volle borst: 'Kijk eens aan, de varkens houden een conventie! Bereid je dit jaar maar voor op een vroege kerst!'

'Waar heb je het over, Denny?' Mitch was nog steeds van slag door de controlepost.

'Die dooie smeris, man,' zei Denny. 'Heb je het niet gehoord? Het loopt precies zoals we hadden gehoopt. We hebben verdomme een na-aper gekregen!'

HOOFDSTUK 62

Nelson Tambour was vlak voordat de schemering viel neergeschoten op de strook gras tussen de Rock Creek Parkway en de
rivier. Tegen de tijd dat ik daar aankwam, was de snelweg al afgesloten, maar ik had dan ook vanaf K Street naar het Kennedy
Center moeten rijden. Ik parkeerde zo dichtbij mogelijk en legde
het laatste stuk te voet af.

Wijlen Tambour was rechercheur bij de NSID, een speciale
eenheid van de Narcoticabrigade. Ik had hem niet persoonlijk
gekend, maar dat maakte deze aanslag niet tot een minder grote
nachtmerrie. De MPD had een agent verloren, en dat op de af-
schuwelijkst denkbare wijze. De helft van Tambours schedel was
weggeslagen; er was een enorm kaliber kogel door zijn hoofd gejaagd.

Inmiddels was het donker, maar de plaats delict werd met een
aantal jupiterlampen verlicht alsof het een footballstadion was.
Aan de zijkant waren twee tenten opgezet: één als commandopost, de andere om verzamelde bewijsstukken uit het zicht te
houden van de hinderlijke pershelikopters die erboven rondcir-
kelden.

De havenpolitie patrouilleerde op het water en hield plezier-
vaartuigen op afstand. En overal liepen hoge politiefunctionaris-
sen.

Ik kreeg hoofdcommissaris Perkins in het oog, en hij gebaarde
me naar hem toe te komen. Hij stond een beetje aan de zijkant
van een groepje hoofdinspecteurs van de Narcoticabrigade en de

Inlichtingendienst, bij een vrouw die ik niet herkende.

'Alex, dit is Penny Ziegler, van de IAD,' zei Perkins, en de knoop in mijn maag werd aangetrokken. Wat deed Interne Zaken hier?

'Is er iets wat ik moet weten?' vroeg ik.

'Inderdaad,' zei Ziegler. Haar gezicht was net zo door de spanning getekend als dat van ons. Als er een collega is vermoord, gaan smerissen vreemd doen.

'Rechercheur Tambour had afgelopen maand een *no-contact* status,' zei ze. 'We zouden hem later deze week arresteren.'

'Op beschuldiging waarvan?' vroeg ik.

Ze keek naar Perkins, die knikte, waarop ze verderging. 'De afgelopen twee jaar hield Tambour toezicht op een undercoveroperatie in een achterstandswijk in Anacostia. Hij heeft de helft van alles wat ze in beslag namen achterovergedrukt, vooral PCP, coke en ecstasy. Die verkocht hij door via een netwerk van dealers in Maryland en Virginia.'

'Het is mogelijk dat hij hier een bestelling wilde afleveren,' voegde Perkins er met een hoofdbeweging aan toe. 'Er lag een kilo coke in zijn achterbak.'

Er schoten me vier woorden te binnen: *vossen in het kippenhok.*

En plotseling paste Tambour veel beter in het profiel van de scherpschutterslachtoffers.

Maar Tambour was niet bekend bij het grote publiek. Hij had niet, zoals de anderen, op de voorpagina's gestaan; dat was een verschil.

Of het een belangrijk verschil was wist ik niet, maar het gevoel dat er iets niet klopte, liet me niet los.

'Ik wil dat er geen enkele mededeling over dit onderzoek wordt gedaan,' zei ik tegen Perkins. 'Degene die deze moord heeft gepleegd, beschikt duidelijk over vertrouwelijke informatie.'

'Akkoord,' zei hij. 'O, Alex?' Ik had me al omgedraaid, maar Perkins legde een hand op mijn arm. Zijn blik was gespannen. Een beetje wanhopig misschien zelfs. 'Zet alles op alles,' zei hij.

'De situatie dreigt uit de hand te lopen.'

Als deze moord niet door ons scherpschutterteam was ge-pleegd, dan wás de situatie al uit de hand gelopen.

HOOFDSTUK 63

De FBI arriveerde kort na mij. Dat had voor mij zowel voor- als nadelen. Hun Evidence Response Teams, die bewijslast verzamelen, zijn met het beste materiaal uitgerust, maar het betekende ook dat Max Siegel in de buurt was.

Sterker nog, we bogen ons tegelijkertijd over Nelson Tambours lijk.

'Dat is me de schotwond wel,' zei Siegel waarbij hij zich met de voor hem gebruikelijke fijngevoeligheid aan me opdrong. 'Ik heb gehoord dat de man niet deugde. Klopt dat? Ik kom er toch wel achter.'

Ik negeerde de vraag en beantwoordde de vraag die hij wel had moeten stellen. 'Het was beslist een schot van grote afstand,' zei ik. 'Er zijn geen spikkels. En gezien de houding van het lichaam, moeten de schoten daarvandaan zijn gekomen.'

Recht tegenover ons, op ruim tweehonderd meter van de oever, zagen we lichtstralen van zaklantaarns kriskras door het kreupelhout op Roosevelt Island bewegen. Twee teams van ons kamden dat gebied uit op patronen, verdachte voetafdrukken en wat ze ook maar zouden aantreffen.

'Je zei schoten? Meervoud?' vroeg Siegel.

'Dat klopt.' Ik wees naar de helling achter de plek waar Tambour was neergegaan. Er waren vier gele vlaggen in de grond gestoken, één voor iedere kogel die ze tot dusver hadden gevonden.

'Drie keer mis, één keer raak,' zei ik met een zucht. 'Ik weet niet of we het hier wel over dezelfde schutters hebben.'

Siegel keek een paar keer van de rivier naar Tambours lijk en weer terug. 'Misschien schoten ze van een boot of zo. Er zijn golven, vandaag. Dat zou een verklaring voor het aantal schoten kunnen zijn, voor de missers.'

'Op open water heb je geen dekking,' zei ik, 'dus er is alle kans op een ooggetuige. Voor deze jongens is een schot een treffer. Ze missen nooit.'

'De lijfspreuk van de scherpschutters,' zei Siegel. 'Wat is daarmee?'

'Ik denk dat het een kwestie van trots is. Als je iets over hun werk kunt zeggen, is het dat het onberispelijk was. Tot nog toe.'

'Dus jij denkt dat er nog een moordenaar met zo'n supersonisch scherpschuttergeweer rondloopt?'

Ik hoorde de minachting in zijn stem toenemen. Daar gingen we weer.

'Is dat niet exact de mogelijkheid die de FBI heeft onderzocht?' vroeg ik. 'Dat was in ieder geval wel wat Patel me vertelde – op de meeting waar jij gisteren niet bent komen opdagen.'

'Aha.' Siegel schommelde op zijn hakken heen en weer. 'En was je ook nog van plan zelf een theorie uit te denken of ga je gewoon af op wat je van de FBI te horen krijgt?'

Ik denk dat hij zich door mij bedreigd voelde en dat het hem hielp als hij mij zover kon krijgen dat ik me onprofessioneel zou gedragen. Ik stond al met één been in het water, maar ik trok mijn voet terug en keek naar de grond tussen mij en Tambours lijk.

Toen hij doorkreeg dat ik niet zou antwoorden, probeerde hij het op een andere manier.

'Weet je, die kerels kunnen natuurlijk net zo goed zijn,' zei hij terloops. 'Basisterrorisme, toch? De beste manier om de politie een stapje voor te blijven is in alles onvoorspelbaar te zijn. Dat is wel een steekhoudende invalshoek, denk je niet?'

'Ik sluit niets uit,' zei ik zonder op te kijken.

'Dat is fijn,' zei hij. 'Het is fijn dat je van je fouten leert. Ik bedoel, ben je daar toen met Kyle Craig niet over gestruikeld?'

Nu keek ik wel op.

'Eigenlijk kwam het er toch gewoon op neer dat hij je heeft afgetroefd? Doordat hij de regels van het spel steeds veranderde? En dat doet hij nog steeds, nietwaar? Tot op de dag van vandaag?'

Siegel haalde zijn schouders op. 'Zit ik ernaast?'

'Weet je wat, Max? Hou gewoon je waffel.' Ik keek hem nu recht aan, mijn gezicht dichter bij dat van hem dan nodig was. Ik probeerde nu niet meer met Siegel te 'dealen'. Wat ik nu ging zeggen moest gewoon gezegd worden.

'Ik weet niet precies wat jouw probleem is, maar ik ken nog wel een paar goede hulpverleners. Hoe dan ook, er is vandaag een agent overleden. Toon een beetje respect.'

Ik denk dat ik hem had gegeven wat hij wilde. Siegel deed een stap naar achteren maar hield die onaangename grijns op zijn gezicht. Het leek wel alsof hij voortdurend een binnenpretje had.

'Oké,' zei hij, en hij wees over zijn schouder. 'Mocht je me nodig hebben, ik ben daar.'

'Ik heb je niet nodig,' zei ik, en ging weer aan het werk.

HOOFDSTUK 64

Om negen uur had ik eerst een telefonische spoedvergadering met het directoraat van de FBI en de Field Intelligence Group; vervolgens gaf ik de burgemeester een korte weergave van de feiten en bracht ik verslag uit aan mijn eigen team van de MPD, dat inmiddels in zijn geheel op de plaats delict was.

Op dit moment was de belangrijkste vraag of we met de patriottische scherpschutters of iemand anders te maken hadden. Als er een verband was, zou dat het snelst met ballistische bewijzen kunnen worden aangetoond, en Cailin Jerger van het FBI-lab in Quantico werd per helikopter ingevlogen, voor overleg.

Het was waanzinnig om te zien hoe de zwarte Bell-helikopter kwam aanvliegen en midden op de verlaten snelweg landde.

Ik rende naar de helikopter om Jerger te begroeten.

Ze droeg een spijkerbroek en een Quantico-sweatshirt met capuchon; ze hadden haar die ochtend waarschijnlijk zo uit haar woonkamer geplukt. Als je deze kleine, pretentieloze vrouw zag, zou je niet zeggen dat er in de drie dichtstbij gelegen staten niemand was die meer verstand van wapenonderzoek had dan zij.

Toen ik haar liet zien waar Tambour was neergeschoten en waar de vier kogels terecht waren gekomen, keek ze me veelbetekenend over haar schouder aan. Ik zei niets, geen woord. Ik wilde dat Jerger haar eigen, ongebonden conclusies trok.

Iedereen stond bij de bewijzentent op ons te wachten. Buiten stond een grote groep agenten van de FBI en de politie, onder wie het grootste deel van Tambours Narcotica-eenheid. Binnen troffen we hoofdcommissaris Perkins, Jim Heekin van het directoraat, Max Siegel en verschillende MPD-inspecteurs, leidinggevenden van de FBI en mensen van de ATF. Jerger liet haar blik even over al die verwachtingsvolle gezichten gaan en liep naar binnen alsof zij en ik de enige aanwezigen waren.

De vier kogels lagen in afzonderlijke zakjes op een lange klaptafel. Drie ervan waren min of meer ongehavend; de vierde was flink beschadigd, om voor de hand liggende redenen.

'Goed, het zijn onmiskenbaar geweerkogels,' zei Jerger zonder omwegen. 'Maar ze zijn niet met een M-110 afgevuurd, zoals de vorige.'

Ze pakte een tangetje van de tafel en plukte een van de ongehavende kogels uit het zakje. Daarna haalde ze een vergrootglas uit haar zak en bekeek de onderkant.

'Ja, dat dacht ik al,' zei ze. 'Een .338. En hebben jullie die "L" hier gezien? Daaruit maak ik op dat het een Lapua Magnum is. Die zijn speciaal voor scherpschutterschoten van grote afstand ontwikkeld.'

'Is het voldoende om het wapen te identificeren?' vroeg ik.

Ze haalde één schouder op. 'Hangt ervan af. Het patroon van de groeven kan ik pas bekijken als ik weer in het laboratorium ben. Maar één ding kan ik je nu al vertellen. De hulzen van deze schatjes zijn nogal hard. De afdruk zal minimaal zijn.'

'Wat zijn je eerste indrukken?' vroeg ik. 'We zitten echt omhoog.'

Jerger zuchtte diep. Ze hield er niet van te speculeren. In haar werk komt alles op nauwkeurigheid aan.

'Tja, tenzij er technische problemen waren, begrijp ik niet waarom ze, na het succes met de M-110, een ander wapen gebruikt zouden hebben.'

Ze hield een ander plastic zakje omhoog en keek ernaar. 'Ik bedoel, begrijp me niet verkeerd. Dit is verdomd goede munitie, maar de 110 is de Rolls Royce onder de langeafstandswapens en de rest... Nou ja, de rest is gewoon de rest.'

'Dus je denkt dat dit een andere schutter is geweest?' vroeg hoofdcommissaris Perkins, waarschijnlijk suggestiever dan goed was.

'Ik zeg alleen dat het vreemd is als dat niet zo zou zijn – meer niet. De redenen van de schutter ken ik niet. En wat het wapen zelf betreft, kan ik alleen zeggen dat sommige mogelijkheden meer voor de hand liggen dan andere.'

'Zoals?' vroeg ik.

Ze dreunde ze meteen op: 'M-24, Remington 700, TRG-42, PGM 338. Die worden het meest gebruikt, in het leger althans.' Toen keek ze mij strak aan, op haar gezicht een macaber glimlachje. 'En dan heb je de Bor nog. Heb je daar weleens van gehoord?'

'Moet dat?' vroeg ik.

'Niet echt,' zei ze terwijl ze me bleef aankijken. 'Het zou ook wel ontzettend maf zijn. De .338-kalibervariant van Bor wordt het Alex-geweer genoemd.'

HOOFDSTUK 65

Kyle Craig liep het hele stuk naar huis met een belachelijke grijns op zijn gezicht – dat wil zeggen, op Max Siegels gezicht. Hij kon het niet helpen. In zijn hele carrière en al zijn incarnaties had hij zich nog nooit zo goed vermaakt als die avond.

Agent Jerger verdiende een dikke pluim omdat ze de verwijzing naar het Alex-geweer had begrepen, en dat zo snel!

Misschien had de FBI toch een paar ijzers in het vuur. Die geheimzinnige kleine aanwijzingen van hem waren natuurlijk min of meer zijn waarmerk geworden, maar om er zelf bij te zijn als er een ontdekt, laat staan ontrafeld werd? Een unieke sensatie, om het zacht uit te drukken. Wat een kick!

Maar tegelijkertijd was het niet meer dan een prelude. Dit dramaatje daar bij de rivier was de eerste van een serie stoten die niemand zag aankomen, en die niemand zo hard zou treffen als Alex.

Zet je maar schrap, beste kerel! Ze komen eraan!

Kyle trok de voordeur achter zich dicht en keek op zijn horloge. Het was pas halfeen, de zon kwam nog lang niet op. Hij had nog meer dan genoeg tijd om te doen wat hij moest doen.

HOOFDSTUK 66

Om te beginnen deed hij de deur naar de kelder van het slot en daalde hij de smalle trap af naar de uit B2-blokken opgetrokken werkruimte onder het huis. Het was niet te vergelijken met de werkkamer van zijn vader, met walnotenhouten panelen, een enorme open haard en verrijdbare ladders, maar het diende zijn doel evengoed. Dankzij de grote, waterdichte deur aan de achterkant was hij erin geslaagd een vrieskist in de kelder te plaatsen, en daar liep hij nu naartoe.

Agent Patel lag er vredig in te slapen. Ze zag er nog steeds min of meer als zichzelf uit, maar ze was wat stijf geworden, wat hij wel toepasselijk vond: levend was ze ook stijfjes geweest.

'Klaar voor een andere omgeving, liefje?'

Hij tilde haar uit de kist en legde haar op vier millimeter dik schildersplastic, zodat ze alvast een beetje kon ontdooien terwijl hij met andere dingen bezig was. Het herinnerde hem aan zijn veel minder lieve, maar niet minder dode moeder, Miriam – zij legde 's ochtends weleens een bak bevroren varkenskarbonades of vanglappen op het aanrecht, die dan nog diezelfde dag voor het avondeten werden gebraden. Hij kon niet beweren dat dat oudje hem niets nuttigs had geleerd.

Daarna begon hij aan de muren. Naast de oude foto's hingen tientallen nieuwe, het resultaat van een aantal geestdodende dagen waarin hij Cross' doen en laten in de gaten had gehouden. Niet het meest inspirerende deel van de klus, maar het had zich wel uitbetaald.

Hier een foto van Alex en John Sampson op de plaats delict van die heerlijk geschifte nieuwe zaak, op Franklin Square.

Daar een foto van Alex in het gezelschap van zijn zoon Ali en diens moeder, Christine, die voor de nodige opwinding gezorgd leek te hebben.

Hij haalde alles weg: alle foto's, plattegronden en krantenknipsels die hij had verzameld sinds hij in Washington was aangekomen. Hij had ze niet meer nodig. Hij kende ze uit zijn hoofd. En het was tijd om al die details naar buiten te laten komen en echt aan de weg te timmeren!

Lang geleden zou Kyle hebben gewild, of nee, nodig gehad hebben dat alles helemaal was uitgestippeld, tot in het kleinste detail. Maar zo was het niet meer. Nu lagen de mogelijkheden voor het oprapen, als even zoveel vruchten van zijn arbeid.

Misschien zou het verhaal als volgt eindigen: Alex wordt wakker op de badkamervloer, het mes nog in zijn hand. Hij staat op, gedesoriënteerd, en strompelt naar de slaapkamer, waar hij Bree opengereten in hun bed ziet liggen. Hij rent naar de kinderen, en treft meer van hetzelfde aan. De oma, idem. Alex kan zich niets herinneren; hij weet zelfs niet hoe hij de vorige avond thuis is gekomen. Dan een vooruitblik, een jaar of twee later: hij leert alles over de unieke hel van de maximaal beveiligde nor en rot weg in onschuld terwijl de muren iedere dag weer iets dichter op hem afkomen.

Of... of niet.

Misschien was het beter om Alex gewoon definitief uit te schakelen, voor eens en altijd. Een goeie ouwe marteldood, en, niet te vergeten, zien hoe Cross langzaam zou sterven, had ook zo zijn charmes.

Maar hij had geen haast om te beslissen wat de definitieve optie moest zijn. Hij hoefde nu alleen Max Siegel maar te zijn, voor alle mogelijkheden open te blijven staan en zich te concentreren op wat hij onder handen had.

En dat was, op dat moment, agent Patel.

Hij liep terug om te kijken hoe het er met haar voor stond en voelde dat ze aan de buitenkant al wat zachter begon te worden. Prima. Tegen de tijd dat ze een geurtje zou gaan afscheiden, had hij zich al van haar af gemaakt.

'Voor zolang als het duurde was het leuk, huisgenootje,' zei hij. Hij boog voorover en gaf haar een ingetogen afscheidskus op haar lippen. Daarna rolde hij zijn ontslapen gast in een witte standaardlijkzak en ritste die dicht. Klaar voor vertrek.

HOOFDSTUK 67

Ook dit keer ging de telefoon al vroeg in de ochtend, en ook dit keer was het Sampson. Nu lag ik zelfs nog in bed. 'Luister, schat, ik weet dat het vannacht op de snelweg al zwaar genoeg was, maar ik dacht dat je wel zou willen weten dat er een nieuw lijk is in de getallenzaak.'

'Fijne timing,' zei ik, nog altijd plat op mijn rug, met Brees arm op mijn borst.

'Tja, ik geloof dat niemand mijn klachten daarover serieus neemt. Luister, als je deze wilt laten schieten, neem ik het wel van je over.'

'Waar ben je?' vroeg ik.

'Bij het busstation achter Union Station. Maar even serieus, je klinkt alsof je een enorme kater hebt, Alex. Waarom blijf je niet lekker liggen? Vergeet maar dat ik heb gebeld.'

'Nee,' zei ik. Ik had niets liever gewild, maar op een plaats delict krijg je maar één kans. 'Ik ben er zo snel mogelijk.'

Toen ik overeind kwam en mijn voeten op de vloer zette, pakte Bree me bij mijn arm.

'Godnogantoe, Alex, weet je hoe vroeg het is? Wat is er nu weer aan de hand?'

'Ik had je niet wakker willen maken,' zei ik en boog schuin achterover om haar goedemorgen te kunnen kussen. 'Weet je trouwens, ik kan niet wachten tot we getrouwd zijn.'

'O nee? Zou dat dan iets aan dit soort praktijken veranderen?'

'Nee, dat niet,' zei ik. 'Ik kan gewoon niet wachten.'

Ze glimlachte, en dat was zelfs in het halfduister een prachtig gezicht. Ik kende geen vrouw die er zo vroeg in de ochtend zo goed uitzag. Of zo sexy. Ik moest nu echt snel opstaan, anders zou ik aan iets beginnen wat ik niet kon afmaken.

'Zal ik met je meegaan?' vroeg ze een beetje verdwaasd, maar wel al op één elleboog.

'Nee, dank je, ik red me wel. Maar als jij de kinderen naar school zou willen brengen…'

'Doe ik. Verder nog iets?'

'Een snelle, onzegbare daad voor ik vertrek?'

'Hou je te goed,' zei ze. 'Sampson wacht. Vooruit, wegwezen jij, voor we iets doen waar we geen spijt van krijgen.'

Vijf minuten later was ik vertrokken en wenkte ik de beveiliging in de achtertuin toen ze me de deur uit zagen schieten. Nog maar een paar uur geleden was ik de andere kant op gelopen, naar binnen.

'Goedemorgen, jongens. Regina is bijna op,' zei ik. 'Nog even en jullie krijgen koffie.'

'Met een koekje?' vroeg een van hen.

'Ongetwijfeld,' zei ik lachend.

Maar ondertussen liep het natuurlijk wel uit de hand. Ik wist net zo goed als ieder ander dat dit gekkenwerk was, maar de deur uit gaan voordat Nana Mama de keuken bedrijfsklaar had gemaakt voor een nieuwe dag? Dát was wat je vroeg noemde.

HOOFDSTUK 68

De eerste ochtendbussen stonden achter elkaar klaar buiten het Union Station.

Sampson had de achterste terminal al laten afsluiten, en overal liepen in oranje vesten gestoken agenten van de verkeerspolitie die de mensen een tijdelijke omweg wezen. Ook een probleem, maar in ieder geval een dat niet op míjn bordje lag.

Ik reed achterom en liep de twee trappen af van het straatniveau naar het spelonkachtige hoofddek van de parkeergarage. Sampson stond op me te wachten, een grote beker koffie in elke hand.

'Ik vervloek dit, schat. Ik heb er zo'n hekel aan,' zei hij terwijl hij me mijn ochtendbrandstof aanreikte.

We liepen naar de achterkant, waar een rij grote bruine afvalcontainers tegen de muur aan de kant van H Street stond. Er was er één die openstond.

'Naakt, deze keer,' zei Sampson. 'En de cijfers staan op haar rug. Je zult het wel zien. Bovendien heeft het er de schijn van dat ze is doodgestóken, en niet doodgeslágen. Het ziet er evengoed heel naar uit.'

'Goed,' zei ik. 'Aan de slag.' Ik trok mijn handschoenen aan en liep naar voren om de schade op te nemen.

Ze lag met haar gezicht omlaag in de container, boven op het vuilnis, voor het grootste deel vuilniszakken die van het busstation afkomstig waren. De cijfers waren in twee parallelle rijen in haar huid gekrast, aan weerszijden van haar ruggengraat. Maar deze keer was het geen vergelijking. Dit was iets anders.

N38°55'46.1598"

W094°40'3.5256"

'Zijn dit gps-coördinaten?' vroeg ik.

'Als het coördinaten zijn, ben ik erg benieuwd naar de locatie,' zei Sampson. 'Deze man ontwikkelt zich, Alex.'

'Heeft iemand het lijk aangeraakt?'

'De lijkschouwer is er nog niet. Ik weet niet waardoor hij wordt opgehouden, maar volgens mij moeten we niet langer wachten.'

'Mee eens. Godallemachtig, wat een manier om de dag te beginnen. Help even.'

We ademden allebei diep in en klommen in de afvalcontainer. Het viel met al die verschuivende zakken onder je voeten niet mee je goed te bewegen, laat staan de plaats delict intact te houden. We pakten het slachtoffer vast en draaiden haar voorzichtig om.

Wat ik zag sloeg me finaal uit het veld. Ik boog me over de rand van de container en voor het eerst in lange tijd had ik bijna de inhoud van mijn maag geleegd.

Sampson stond vlak bij me. 'Gaat het, Alex? Wat is er?'

Ik kreeg de smaak van metaal in mijn mond en het duizelde me, van de adrenaline en van verbijstering.

'Ze is een agent, John. Van de FBI. Herinner je je haar? Van de DCAK-zaak? Haar naam is Anjali Patel.'

HOOFDSTUK 69

Arme Anjali.

En godverdomme! Hoe was dit gebeurd? Hoe had dit in godsnaam kunnen gebeuren?

Het slachtoffer van een moord persoonlijk kénnen heeft iets onontkoombaars, vooral bij een brute moord als deze. Er bleven onwelkome vragen naar boven borrelen. Had ze het zien aankomen? Had ze erg geleden of was het snel gegaan?

Ik probeerde mezelf voor te houden dat zulk precisiesnijwerk postmortaal geweest moest zijn, al was die gedachte een schrale troost. Patel had er het meest aan als ik me zou concentreren op mijn werk, op deze plaats delict, zo objectief als onder de ziekmakende omstandigheden mogelijk was.

Om te beginnen belde ik het Forensisch Instituut. Ik wilde zeker weten dat Porter Henning de zaak zou krijgen, en ik wilde uitzoeken waarom ze er zo idioot lang over deden. Ze hadden er allang kunnen zijn. Ik was er toch ook?

Sampson noteerde de getallen op Anjali's rug en keek op zijn BlackBerry wat hij er zo snel over kon vinden.

Tegen de tijd dat ik Porter, die op de Eisenhower Freeway vastzat, had gesproken, gebaarde John dat ik iets moest komen bekijken.

'Ik weet het niet, Alex. Dit is wel nattevingerwerk.' Hij draaide het schermpje, zodat ik het plattegrondje kon zien.

'Het is een adres in Overland Park in Kansas. Deze zaak wordt steeds vreemder. Misschien is het toch een of andere wiskundige formule.'

'En als je de coördinaten omdraait?' vroeg ik.

'Ga ik doen.' Het ging niet snel, met die enorme klauwen van hem en dat minuscule toetsenbord. Dat is ook de reden dat Sampson nooit sms't.

'Daar, hebbes. Het is een restaurant,' zei hij. 'De K.C. Masterpiece Barbecue and Grill?'

Sampson schudde zijn hoofd alsof het niet kon kloppen, maar de naam trof mij als een mokerslag. Het moet aan me te zien zijn geweest, want hij zwaaide met zijn hand voor mijn ogen.

'Alex? Waar zit jij met je gedachten?'

Ik had mijn vuisten gebald. Ik wilde ergens tegenaan slaan. Hard. 'Natuurlijk,' zei ik. 'Dit is precies hoe die klootzak werkt.'

'Hoe wíe werkt?' vroeg John. 'Waar denk...'

Toen begreep hij het.

'O jezus.'

Alles werd nu duidelijk, op de verschrikkelijkst denkbare manier. De verwijzing van het Alex-geweer de avond ervoor, en nu K.C. Masterpiece.

Kyle Craigs masterpiece. Het meesterstuk van Kyle Graig.

Hij had dit eerder gedaan, tekens op plaatsen delict achterlaten; hij eiste de eer die hem toekwam op. Beide moorden verwezen naar mij – de scherpschuttermoord op Tambour en de cijfers die zo beestachtig in Anjali Patels huid waren geëtst.

Het was duidelijk dat Kyle beide moorden had gepleegd. Of ze door iemand had laten plegen.

Toen schoot me nog iets anders te binnen, en de naschok was afschuwelijk: Bronson 'Pop Pop' James, mijn twaalfjarige cliënt, die was neergeschoten toen hij een drankwinkel probeerde te overvallen... Die drankwinkel heette Cross Country Liquors. Natuurlijk. Waarom zag ik dat nu pas?

Het drukte als een loden last op mijn schouders. Kyle omcirkelde me en kwam steeds dichterbij, en richtte al doende zo veel mogelijk schade aan. En denk niet dat dit blinde bruutheid was.

Het gebeurde heel gericht en, als ik me niet vergiste, heel persoonlijk.

Het maakte allemaal deel uit van de straf die hij me liet ondergaan omdat ik hem had opgepakt.

HOOFDSTUK 70

Met één telefoontje naar Rakeem Powell regelde ik dat het huis vierentwintig uur per dag werd bewaakt. Als het moest zou ik wel een lening afsluiten; geld speelde nu geen rol. Ik kon niet weten welk eindspel Kyle wilde spelen, maar ik was niet van plan af te wachten tot hij de aanval opende.

Ik bracht het grootste deel van de dag in het Hoover-gebouw door. Na de plotselinge dood van Anjali leek het alsof daar een wake werd gehouden, behalve in het Strategische Informatie en Operatie Centrum, waar een geroezemoes klonk als op de verkeerstoren van een vliegveld.

Ron Burns, de FBI-directeur zelf, stelde zijn commandopost beschikbaar en de klopjacht op Kyle Craig werd met volle kracht hervat. Deze zaak was niet alleen voor mij persoonlijk. De zaak-Craig was allang het grootste interne schandaal in de honderdjarige geschiedenis van de FBI. En nu had hij wéér een agent vermoord – misschien niet alleen om zich op mij, maar ook om zich op de FBI te wreken.

Iedere stoel aan het dubbele hoefijzer van bureaus in de commandopost was bezet. Vijf grote schermen voor in de kamer vertoonden afwisselend foto's en oude videobeelden van Kyle en een kaart van de VS en een wereldkaart waarop elektronische markers aangaven waar hij voorzover bij ons bekend slachtoffers had gemaakt, contacten had gehad en was gezien.

We belden de hele dag met Denver, New York, Chicago en Parijs – alle plekken waarvan we wisten dat Kyle er na zijn ontsnapping uit de extra beveiligde inrichting van Florence was geweest. En ieder FBI-kantoor in het land verkeerde in verhoogde staat van paraatheid.

Evengoed hadden we ondanks al die activiteiten geen idee waar Kyle was.

'Ik weet niet wat ik tegen je moet zeggen, Alex,' zei Burns terwijl hij liep te ijsberen. We hadden net een telefonische marathonvergadering afgerond. 'We hebben helemaal niets, er is geen enkel fysiek bewijs dat Kyle Tambour of Patel heeft vermoord of dat hij zelfs maar in Washington is geweest. En we zijn trouwens ook niet verder gekomen met de Beretta die jij tot bewijsstuk hebt gebombardeerd.'

De Beretta waar hij het over had, was het wapen dat Bronson James had gebruikt bij zijn mislukte gewapende overval. Oorspronkelijk dachten we dat Pop Pop het van een straatbendelid had gekregen, maar het zou ook kunnen dat Kyle Craig hem het pistool had gegeven. Ik wist dat Kyle een voorkeur voor Beretta's had, en hij wist dat ik dat wist.

'Ík ben het bewijs,' zei ik. 'Hij heeft mij opgebeld. Hij heeft me bedreigd. Die man is door mij geobsedeerd, Ron. In zijn beleving ben ik er als enige ooit in geslaagd hem te verslaan, en als er íets is wat Kyle Craig graag doet, dan is het zich met anderen meten.'

'En die volgelingen van hem? Gesteld dát het volgelingen zijn.' Burns praatte niet alleen tegen mij, maar ook tegen een stuk of tien andere agenten die ondertussen aantekeningen maakten en op laptops roffelden. 'De man heeft aanhangers, en een aantal van hen lijkt bereid te zijn om op zijn bevel te sterven. Dat is eerder gebeurd. Kunnen we uitsluiten dat hij een van hen opdracht heeft gegeven deze moorden te plegen?'

'Ja, want de moorden zijn op mij gericht,' zei ik langzaam. 'Dit is het deel dat Kyle zelf wil doen.'

'Maar dan nog…' Burns stopte met ijsberen en ging zitten. 'We dwalen van de kern van de zaak af. Of Craig deze moorden wel of niet zelf heeft gepleegd, maakt voor ons niet zo veel uit. Wij moeten iedere vierkante centimeter van de plaatsen delict afspeuren. Wij moeten ervoor zorgen dat onze radar aanstaat en dat onze mensen optimaal zijn voorbereid als hij weer toeslaat.'

'Dat is verdomme niet goed genoeg!' zei ik en veegde mijn en andermans aantekeningen van het bureau. Ik had meteen spijt. 'Sorry,' zei ik. 'Sorry.'

Ik begon de papieren op te rapen, maar Burns stak zijn hand uit en trok me overeind. 'Neem een pauze. Ga iets te eten halen. Je kunt nu toch niets doen.'

Of ik het nu leuk vond of niet, hij had gelijk. Ik was doodop en enigszins gegeneerd, en het zou me goed doen om even naar huis te gaan. Ik pakte mijn spullen en ging ervandoor.

Toen ik op de lift stond te wachten, voelde ik voor de zoveelste keer die dag mijn telefoon trillen. Er was een constante stroom oproepen van de MPD geweest, en van Sampson, Bree, Nana...

Maar deze keer zag ik op de display alleen 'Een vriend' staan.

'Alex Cross,' zei ik terwijl ik al naar de commandokamer terugliep.

'Zo, Alex,' zei Kyle Craig. 'Nu is de strijd echt losgebrand, nietwaar?'

HOOFDSTUK 71

'Het signaal van de telefoon waarmee ik bel is vervormd, dus je hoeft niets te proberen,' vervolgde Kyle. 'Luister, als ik me niet vergis zit je nu in het hol van de leeuw – klopt dat? En zet me niet op de luidspreker, want dan hang ik op.'

Ik liep de commandopost binnen en gebaarde als een gek dat er iets aan de hand was. Agenten probeerden de telefoon te decoderen, al was er niet veel wat ze konden doen. Ik was ervan overtuigd dat Kyle met betrekking tot het vervormde signaal de waarheid had gesproken.

Iemand reikte me een blocnootje en een pen aan, en Burns kwam vlak bij me zitten en hield zijn oor bij mijn telefoon, tot een ondergeschikte met een laptop kwam toesnellen. Hij ging op de plek van de directeur zitten en schreef uit wat hij kon opvangen.

'Je hebt Anjali Patel en Nelson Tambour vermoord, of niet, Kyle?'

'Ik ben bang van wel.'

'En Bronson James?' vroeg ik. 'Heb je dat ook gedaan?'

'Bijzonder jochie was dat, hè? Maar de laatste keer dat ik hem zag, was er niet meer dan een kasplantje van hem over.'

De laatste keer dat ik Kyle sprak, was ik zo stom geweest mijn geduld te verliezen, en ik was vastbesloten dat niet nog een keer te laten gebeuren. Maar in mijn hart zat een haat zoals ik die nog nooit voor iemand had gevoeld.

'Zie je het spoor van vernietiging dat je veroorzaakt?' vroeg hij.

'Die mensen zouden heel wat beter af zijn geweest als jij gewoon niet had bestaan.'

'Ik zie maar één ding,' zei ik, 'namelijk iemand die door mij geobsedeerd is.'

'Mis,' zei hij. 'Maar ik vind je een fascinerende kerel, voorzover een neger dat kan zijn. Als ik je niet fascinerend had gevonden, zou jij allang dood zijn geweest en zouden Tambour, Patel, en die kleine Bronson James allemaal heerlijk van hun ontbijtje hebben kunnen genieten. Eigenlijk is het een groot compliment. Ik vind weinig mensen zo de moeite waard als jij.'

Zijn stem klonk bijna… speels? Hij wekte de indruk buitengewoon goedgehumeurd te zijn. Het moorden deed hem goed. En Kyle genoot er natuurlijk ook van om over zichzelf te praten.

'Mag ik je een vraag stellen?' vroeg ik.

'Interessant. Je vraagt zelden ergens toestemming voor. Ga je gang, Alex.'

'Ik zou willen weten hoe je Tambour en Patel hebt vermoord. Het is niets voor jou om iemand te imiteren en…'

'Nee, inderdaad,' zei hij meteen. 'Meestal is het andersom, nietwaar?'

'Maar toch is dat precies wat je hebt gedaan. Twee keer zelfs.'

'Wat is je vraag, Alex?'

'Heb je contact met hen gehad?' vroeg ik. 'Met de oorspronkelijke moordenaars? Horen zij bij jou, Kyle?'

Hij dacht even na, misschien om de vaart uit het gesprek te halen. Of verzon hij een leugen?

'Nee, en nee,' zei hij toen. 'Die Patriot is mij een beetje te prozaïsch. Maar die andere, met die getallen, die vind ik interessanter. Ik geef toe dat ik die kerel best een keer zou willen spreken.'

'Dus je weet van geen van beiden wie ze zijn?' vroeg ik.

Er volgde weer een lange pauze. Toen lachte hij, hartelijker dan ik Kyle ooit had horen lachen.

'Alex Cross, vraag jij mij om advies?'

'Je was een goede agent, vroeger,' zei ik. 'Weet je nog? Je hebt me wel vaker geadviseerd.'

'Natuurlijk. Het waren de op één na slechtste jaren van mijn leven. De allerslechtste heb ik in die zogenaamd extreem beveiligde gevangenis in Florence doorgebracht, waarvoor mijn dank.' Hij pauzeerde en ik hoorde hem weer langzaam inademen. 'Wat onze cirkel rond maakt, vind je niet?'

'Inderdaad,' zei ik. 'Je leven lijkt nu nog maar om één ding te draaien, en dat is dat je me dat betaald wilt zetten.'

'In zekere zin.'

'Waarom dan nog al die spelletjes, Kyle? Waar wacht je op?'

'Op inspiratie, denk ik,' zei hij zonder een spoor van ironie. 'Dat is de schoonheid van scheppen en verbeelden. Openlaten wat nog komen gaat. Hoe rijper de kunstenaar, hoe beter hij in staat is op het juiste moment te handelen.'

'Dus nu ben je opeens een kunstenaar?'

'Ik denk dat ik altijd al een kunstenaar ben geweest,' zei hij. 'Ik word er alleen beter in, dat is alles. Het zou dom zijn om op mijn hoogtepunt te stoppen. Maar ik zal je één ding vertellen, beste vriend.'

'Wat dan?' vroeg ik.

'Zodra het einde daar is, weten we het allebei, neem dat maar van mij aan.'

DEEL VIER

Nog maar één doelwit, nog maar één oplossing

HOOFDSTUK 72

Toen ze die ochtend in hun oude witte Suburban uit Washington waren vertrokken, had Denny in zijn zijspiegeltje gezien dat er rook uit de uitlaat kwam, maar hij had er verder geen aandacht aan besteed. Als je in zo'n oude suv rondrijdt, kun je je niet om ieder mechanisch hikje druk gaan maken.

Maar nu, drieënhalf uur later, had het hikje meer weg van doodsgereutel. De lichtjes op het dashboard knipperden als vuurvliegjes en uit de motor kwam een droog gerammel dat hem bekend voorkwam.

Toen hij de auto op Route 70 langs de kant zette, keek Mitch op uit de *Penthouse* die hij tijdens hun laatste tussenstop uit de schappen had getrokken. 'Wat is er aan de hand, Denny? Dat klinkt niet goed.'

'Hoor je niet dat het de pakkingen zijn?' vroeg Denny. Als je zag hoe wazig Mitch het grootste deel van zijn leven doorbracht, was het des te verbazingwekkender dat hij met een geweer in zijn hand zo scherp was.

Een snelle blik onder de motorkap leerde Denny wat hij eigenlijk al wist, maar hij wachtte tot ze weer hortend en stotend op de snelweg reden voordat hij er tegen Mitch meer over zei.

'Goed, nou moet je niet gaan flippen, maatje, maar deze oude toverbak gaat het niet tot in dc redden, dus ik denk dat we hem moeten dumpen.'

Mitch' gezicht begon te glimmen alsof hij een klein kind was. 'Ik weet waar we dat kunnen doen!' zei hij. 'Ik heb hier vroeger heel veel gejaagd. Ik weet een perfecte plek, Denny. Niemand komt daar.'

'Het leek mij wel een goed idee om hem op het vliegveld op de parkeerplaats voor lang parkeren te zetten en gewoon weg te lopen,' zei Denny. 'Tegen de tijd dat iemand doorheeft dat we hem niet meer komen ophalen...'

Maar Mitch hoorde hem niet.

'Alsjeblieft, Denny? Mag het?' Hij was schuin gaan zitten en trok aan Denny's mouw, als een of ander vervelend rotjochie. 'Laten we dat ding gewoon... verzuipen, man. Dan zijn we er voor eens en altijd van af.'

Het verbaasde Denny niet. Mitch werd sinds die wegversperring tijdens hun laatste autoritje met de dag meer paranoïde over de Suburban. Hij werd oud, en snel ook.

Aan de andere kant was dit een mooie gelegenheid om Mitch een beetje te kalmeren, besefte Denny. Hij moest ervoor zorgen dat die gozer gefocust bleef, dat zou op termijn een hoop waard zijn.

'Oké, goed,' zei Denny ten slotte. 'We dumpen het grootste deel van onze spullen. Dat is toch allemaal oude troep. De rest pakken we uit. En daarna gaan we doen wat iedere zichzelf respecterende Amerikaanse patriot zou doen.'

Mitch grijnsde hem van oor tot oor toe. 'Wat dan, Denny?'

'We gaan hem voor een betere inruilen, makker. Heb je weleens een auto gestart zonder het sleuteltje?'

HOOFDSTUK 73

Toen het achter de rug was, fristen ze zich op in een Mobil-wc en pikten een bos tulpen uit een emmer die voor de winkel stond. Denny had graag gezien dat ze een stropdas droegen, maar daarvoor was het te laat.

Sterker nog, het was al donker toen ze eindelijk voor het eenvoudige huisje aan Central Boulevard in Bricktown stopten. Het was een rustige straat, met grote bomen die van weerszijden over de weg bogen en elkaar in het midden aanraakten, en je rook de zilte oceaan in de lucht.

'Ben je hier opgegroeid?' vroeg Denny terwijl hij om zich heen keek. 'Man, waarom ben je hier ooit weggegaan?'

Mitch haalde zijn schouders op. 'Geen idee, Denny. Ik ging gewoon.'

Ze liepen naar de voordeur, en voordat Denny aanbelde draaide hij de lamp uit de portiekverlichting. Een vrouw van middelbare leeftijd deed open. Ze had de omvang en het ronde gezicht van Mitch, en ze tuurde in de duisternis om te zien wie daar voor haar stond.

'Ben jij dat... Mitchell?'

'Hoi, mam.'

De theedoek gleed uit haar hand. 'Mitchell!' Het volgende moment trok ze hem naar zich toe en sloeg ze haar lubberende, worstachtige armen om hem heen. 'Goeie God! Goeie God! U heeft mijn zoon teruggebracht, ik dank U!'

'Hou op, mam.' Mitch wrong zich onder de kussen uit, maar

toen hij zich met de verfomfaaide tulpen in zijn hand losmaakte, glimlachte hij. 'Dit is Denny,' kondigde hij aan.

'Aangenaam kennis te maken, mevrouw,' zei Denny. 'Het spijt me verschrikkelijk dat we zo onverwacht aankomen. We hadden eerst even moeten bellen. Dat weet ik.'

Bernice Talley wuifde het weg, als vliegen in de lucht. 'Maak je niet druk. Kom binnen, kom binnen.'

Toen ze voor Denny langs reikte om de deur dicht te doen, bleef haar blik even op de langs de stoep geparkeerde Lexus ES rusten.

Maar ze zei alleen: 'Jullie hebben vast honger.'

'Ikke wel,' antwoordde Mitch.

'Mitch heeft altijd honger,' zei Denny, en Bernice lachte – ze wist maar al te goed dat dat waar was. Haar rechterheup schoot bij iedere stap omhoog, maar ze strompelde langs de stok die aan een deurhaakje in de hal hing.

'Mitchell, bied je vriend iets te drinken aan. Ik kijk wel even wat ik in de koelkast heb.'

Denny liep op een afstandje achter hen aan door de woonkamer. De meubels hoorden bij elkaar, maar waren oud. De spullen van een zuinig oud vrouwtje. In dit soort huizen moest zijn eigen ouweheer zijn stofzuigers of messen, of waarmee de whisky ook betaald mocht worden, gesleten hebben. Maar een goede handelsreiziger kon hij niet geweest zijn. Die klootzak dronk nooit iets beters dan Old Crow.

Op een bijzettafeltje stonden drie foto's in gouden lijstjes, in een keurige halve cirkel. Op één foto stond Jezus, met zijn ogen naar God opgeslagen. Een was van een nog jonge Mitch, die een pak en een stropdas droeg en er sukkelig uitzag. Op de derde stond een zwarte militair van middelbare leeftijd, in vol ornaat, op de borst een indrukwekkende trits medailles.

Denny liep de keuken in, waar mevrouw Talley in de weer was en Mitch met twee geopende flesjes Heineken voor zich aan de oude formicatafel zat.

'Is die man op de foto meneer Talley?' vroeg hij.

De oude vrouw bleef abrupt staan. Haar hand zweefde in de richting van haar slechte heup, maar ze boog voorover en opende de koelkast.

'We hebben meneer Talley twee jaar geleden moeten laten gaan,' zei ze zonder om te kijken. 'God hebbe zijn ziel.'

'Dat spijt me zeer voor u,' zei Denny. 'Dus u woont hier helemaal alleen?' Hij wist dat hij een klootzak was, maar hij kon het niet helpen.

Ze dacht dat hij het uit medeleven had gezegd. 'O, het gaat best, hoor. Een jongen uit de buurt maait het gazon en schuift in de winter de sneeuw weg, en mijn buurman Samuel komt als ik iets zwaars moet verplaatsen.'

'Het spijt me dat ik het ter sprake heb gebracht, mevrouw Talley. Het was niet mijn bedoeling u...'

'Nee, nee.' Ze wapperde nog meer onzichtbare vliegen weg. 'Het is helemaal niet erg. Hij was een goed mens.'

'Een goed mens die een voortreffelijke zoon heeft voortgebracht,' voegde Denny eraan toe.

Mevrouw Talley glimlachte. 'Dat hoef je mij niet te vertellen,' zei ze, en ze liep met een zak uien van de koelkast naar het aanrecht en legde en passant haar hand op Mitch' brede schouder.

Onder de tafel, zag Denny, begon Mitch' knie als een gek op en neer te stuiteren.

HOOFDSTUK 74

Zelfs zonder dat ze zich van tevoren hadden aangekondigd lukte het Bernice Talley om in een mum van tijd een maaltijd in elkaar te flansen: New Englandse schelpdierensoep, een heerlijk stuk brood, een salade en aardappels uit de magnetron met alles erop en eraan, van boter tot zure room en Canadian bacon. Het was Denny's beste avondmaal sinds hij met de hele klerezooi was begonnen en hij zijn nachten doorbracht in opvanghuizen en die godvergeten Suburban, waar ze nu gelukkig van af waren. Hij at zich vergenoegd vol terwijl mevrouw Talley over mensen van wie hij nog nooit had gehoord babbelde en Mitch voornamelijk luisterde.

Ten slotte, meteen na het vanille-ijs van Edy's met een kwak chocoladesaus erover, schoof Denny zijn stoel naar achteren en strekte zijn ledematen.

'Mevrouw, dat was fantastisch,' zei hij.

Mevrouw Talley glunderde. 'Wacht maar tot je mijn wafels hebt geproefd,' zei ze tegen hem.

'We blijven niet slapen, mam,' zei Mitch, meer tegen zijn kom ijs dan tegen haar.

Onmiddellijk betrok haar gezicht. 'Hoe bedoel je? Waar wou je om halftien 's avonds nog naartoe gaan?'

'We komen net van een conferentie in New York,' kwam Denny snel tussenbeide. 'Het leek Mitch leuk om even bij u langs te gaan, maar we moeten morgenochtend in Cleveland zijn. We moeten de hele nacht doorrijden om morgen weer op tijd op ons werk te zijn.'

'Ik begrijp het,' zei ze stilletjes, maar het was onmogelijk de diepe teleurstelling in haar stem niet te horen.

'Weet u wat?' Denny stond op en begon de borden te verzamelen. 'Gaan jullie tweeën maar lekker in de woonkamer zitten. Dan ruim ik het hier op.'

'Nee, nee...' begon ze, maar uiteindelijk wist hij haar over te halen de kamer uit te gaan.

Toen ze weg was, trok hij de gele rubberhandschoenen van de oude vrouw aan en waste alle borden met de hand af. Hij veegde de spoelbak, het aanrecht, de tafel, de koelkast en de twee flesjes bier die hij had gedronken schoon. Toen stak hij de handschoenen in zijn zak.

Een halfuur later liepen Mitch en hij het tuinpad af.

'Aardige, lieve vrouw, en een geweldige kok,' zei Denny. 'Jammer dat we niet langer konden blijven.'

'Dat geeft niets,' zei Mitch. 'Er is werk aan de winkel, thuis in DC.'

Voor die opmerking gaf Denny Mitch een highfive. Het leek erop dat Mitch weer begon te focussen en zijn goeie ouwe ik terugkreeg.

Bij de stoep bleef Denny opeens staan en knipte met zijn vingers. 'Wacht even. Ik heb mijn portemonnee op het aanrecht laten liggen. Ik ben zo terug.'

'Laat mij hem maar even halen,' zei Mitch, maar Denny stak zijn hand uit om hem tegen te houden.

'Slecht idee, Mitchie. Je hebt net toch gezien hoe je moeder keek? Je wilt haar toch niet weer aan het huilen maken, of wel?'

'Nee, misschien niet,' zei Mitch.

'Natuurlijk niet. Ga jij maar rustig in de auto zitten, en blijf daar maar lekker wachten. Ik ben in no time terug.'

HOOFDSTUK 75

Ik was die dagen zo veel mogelijk thuis, ook alle uren die ik normaal gesproken op het politiebureau doorbracht. Nu ik tegelijkertijd aan Kyle Craig, de patriottistische scherpschutters en de nieuwe moordzaken met de getallen werkte, lag mijn werkkamer op zolder bomvol spullen die met deze zaken te maken hadden. Daaronder waren een hoop foto's van plaatsen delict, dus ik had de kinderen verboden de werkkamer te betreden – wat Jannies telefoontje die vrijdagmiddag verklaarde.

'Hé, Alex, dit is Janelle de Verbannene, vanuit Verweggistan op de eerste verdieping.'

Mijn dochter was een bijdehandje, en er zat voor mij niet meer in dan proberen haar bij te benen. 'Gegroet, Janelle. Hoe is het daar in de onderwereld?'

'Er is iemand voor je, pap,' zei ze, ter zake nu. 'Er staat ene meneer Siegel voor de deur. Hij is van de FBI.'

In eerste instantie dacht ik dat ik haar verkeerd had verstaan. Wat moest Max Siegel bij mij thuis? De laatste keer dat ik hem had gezien, hadden we de ergste onenigheid tot dan toe gehad.

'Pap?'

'Ik kom naar beneden,' zei ik.

Toen ik op de eerste verdieping kwam, stond Jannie daar nog steeds te wachten. Ze kwam achter me aan de trap af, maar ik zei dat ze binnen moest blijven.

Ik liep naar buiten en sloot de voordeur achter me.

Siegel stond op de stenen trap voor mijn huis en zag er in zijn spijkerbroek en zwarte motorjack buitengewoon Brooklyns uit. Hij had in zijn ene hand een motorhelm, in de andere een bruine papieren zak.

Een van de beveiligingsjongens, David Brandabur, had zich tussen Max en de deur opgesteld.

'Het is in orde, David,' zei ik. 'Ik ken hem.'

We wachtten beiden met praten tot David naar zijn auto was teruggelopen.

'Wat kom je hier doen, Max?' vroeg ik.

Siegel deed een stap naar voren, precies zo ver dat hij me de papieren zak kon overhandigen. Op dat moment zag ik dat er iets in zijn gezicht was veranderd.

'Ik wist niet zeker wat je smaak was,' zei hij.

Ik trok een fles Johnnie Walker Black Label uit de papieren zak. Een aanbod om de vrede te tekenen, veronderstelde ik – maar met Siegel wist je het nooit.

Hij haalde zijn schouders op. 'Ik weet het, ik weet het. Agent Jekyll and Mr Hyde, hè?'

'Zoiets, ja,' zei ik.

'Luister, Alex, ik weet hoe het is om met me te werken. Ik neem al deze ellende heel persoonlijk op. Dat zou ik niet moeten doen, maar ik doe het wel. Het gaat me ontzettend aan mijn hart. Misschien is dat een van de redenen dat ik mijn werk goed doe, maar soms kan ik een klootzak zijn.'

Ik wilde 'Soms?' vragen, maar luisterde wat Siegel verder nog te vertellen had.

'Hoe dan ook,' vervolgde hij, 'ik wilde alleen even zeggen dat ik weet dat je je handen vol hebt, en dat je het me moet laten weten als je iets nodig hebt. Iets van de FBI, of misschien gewoon ondersteuning bij de beveiliging van het huis hier – iemand die een keer een nachtdienst doet, wat dan ook.'

Toen keek hij naar mijn uitdrukkingsloze gezicht en glimlachte ten slotte. 'Echt. Ik meen het.'

Ik wilde Siegel graag geloven. Het zou het een en ander beslist gemakkelijker maken. Maar mijn instinct zei me nog steeds hem te wantrouwen. Dat kon ik niet één, twee, drie van me afschudden omdat hij aanbood vrede te sluiten.

Plotseling ging de deur achter me open en stond Bree in de deuropening. 'Alles in orde, daarbuiten?' vroeg ze.

Siegel grinnikte. 'Ik geloof dat mijn reputatie me vooruit is gesneld.'

'Nou, eigenlijk zit er binnen op de trap een dertienjarige nieuwsdienst,' zei Bree. Ze stak haar hand uit – altijd de vredestichter. 'Bree Stone.'

'Rechercheur Stone!' zei hij. 'Natuurlijk. Fijn je te ontmoeten. Ik ben Max Siegel, Alex' boze droom van de FBI. We verschillen af en toe van mening.'

'Dat heb ik gehoord,' zei ze, en ze lachten. Het was eigenlijk een beetje surrealistisch. Deze kant van Siegel, dat hij vriendelijk was en zich voor iemand anders dan zichzelf interesseerde, had ik nog nooit gezien. Het kwam totaal onverwacht.

'Max kwam dit even langsbrengen,' zei ik terwijl ik haar de fles whisky liet zien.

'Juist.' Siegel zette een stap naar achteren. 'Dus, missie volbracht. Leuk je te ontmoeten, rechercheur.'

'Blijf even wat drinken,' zei ze en kneep in mijn hand. 'Het is vrijdagmiddag. Ik weet zeker dat we allemaal aan wat ontspanning toe zijn.'

Van smoesjes kon geen sprake zijn; iedereen wist wat ze aan het doen was. Siegel keek omhoog naar mij en haalde zijn schouders op. Ik was nu aan de beurt, en eerlijk gezegd had ik graag nee gezegd, maar het zag ernaar uit dat dat meer problemen zou veroorzaken dan me waard was.

'Kom erin,' zei ik en ging hem voor. '*Mi casa es su casa*, Max.'

Binnen had Jannie zich aan de keukentafel teruggetrokken. Nana en Ali zaten daar ook, midden in een potje kwartet. Dat was Ali's nieuwste obsessie in die dagen, maar toen wij binnenkwamen keek iedereen op.

'Max, dit zijn mijn kinderen en mijn schoonmoeder. Regina, Jannie, Ali, dit is agent Siegel.'

Ali keek met grote ogen naar de motorhelm, en Siegel zette die voor hem op tafel. 'Ga je gang, kerel. Probeer hem maar uit, als je wilt.'

'Toe maar,' zei ik tegen Ali.

Ik pakte een paar glazen en wat ijs, en een paar flesjes koud kraanwater voor de kinderen. Nana liep naar de kast met de chips en de crackers, maar ik schudde mijn hoofd zodat alleen zij het zag.

'Jullie wonen leuk,' zei Siegel terwijl hij door het raam naar de achtertuin keek. 'Geweldig huis, zo midden in de stad.'

'Bedankt.' Ik gaf hem een niet al te grote scheut whisky en schonk er daarna een voor Bree en mij in, en een met water voor Nana.

'Dus, op een nieuw begin,' zei Bree ad rem en hief haar glas.

'Op het begin van de zomer!' viel Ali bij.

Siegel glimlachte naar hem en legde een hand op zijn schouder.

'En op dit prachtige gezin,' zei hij. 'Heel leuk om kennis te maken.'

HOOFDSTUK 76

Soms komen de aanwijzingen in een moordzaak volkomen uit de lucht vallen – zoals het totaal onverwachte telefoontje dat ik die zondagochtend kreeg.

'Rechercheur Cross?'

'Ja?'

'U spreekt met rechercheur Scott Cowen, van departement Brick Township, New Jersey. Ik denk dat we iets hebben gevonden wat met jullie scherpschutterzaak te maken heeft.'

De MPD had letterlijk honderden tips op het speciaal geopende scherpschuttertelefoonnummer binnengekregen. Meer dan negenennegentig procent van die telefoontjes bestond uit fictie of leidde tot niets, maar Cowen had iets nagetrokken en mij gebeld. Hij had mijn onverdeelde aandacht.

Ik draaide mijn krant en schreef in de marge naast de kruiswoordpuzzel: *Cowen. Brick Township.*

'Ga uw gang,' zei ik.

'Gistermiddag hebben we een witte Suburban uit 1992 uit het Turn-Millmeer, hier in de buurt, opgevist. De nummerborden zijn verwijderd, dat zal u niet verbazen, en degene die hem daar heeft achtergelaten zal wel niet verwacht hebben dat we zijn wagen zouden vinden, en al helemaal niet zo snel. Maar er was op het vliegveld hier afgelopen weekend een vliegshow voor sportvliegtuigjes, en een paar mensen zagen iets liggen toen ze eroverheen vlogen, en vervolgens hebben ze ons gebeld.'

'O ja?' vroeg ik. Cowen leek te praten zonder ook maar één keer adem te halen.

'Ja, en hij heeft denk ik niet langer dan achtenveertig uur in het water gelegen, want we hebben er nog verdomd goede vinger-afdrukken af weten te halen. Zes vingerafdrukken hadden ieder tien of meer herkenningspunten, wat in principe fantastisch is, maar toen ik de afdrukken de eerste keer door het identificatie-systeem haalde…'

'Rechercheur, het spijt me, maar kunt u me uitleggen wat dit met onze zaak te maken heeft?'

'Dat is het 'm nou net. Ik dacht ook dat dit nergens toe zou leiden, maar vanmorgen werd ik gebeld, en nu blijkt dat een van de vingerafdrukken overeenkomt met die UNSUB die jullie daar in DC zoeken.'

Nu kwamen we ergens. Ik stond op en rende met twee treden tegelijk de trap op naar de zolderkamer. Ik had mijn kaarten en aantekeningen nodig.

Een ONSUB, een onbekend subject, was de enige benaming die we tot dan toe voor onze fantoomschutter hadden. Op de avond van de eerste scherpschuttermoord en op de Law Enforcement Memorial had hij opzettelijk een vingerafdruk achtergelaten, als een visitekaartje. Maar dit leek mij een fout, en in deze fase van het spel, zag ik niets liever dan dat een ONSUB een goeie fout maakte.

Ik vroeg me af of de overige vingerafdrukken uit de auto bij dezelfde kerel hoorden of dat we nu beide leden van ons scherp-schutterteam te pakken hadden.

Die gedachte hield ik voorlopig voor me.

'Rechercheur Cowen uit Brick Township, u heeft net mijn maand goedgemaakt. Kunt u alles wat u heeft naar me toe stu-ren?' vroeg ik.

'Geef uw e-mailadres maar,' zei hij. 'Ik heb alles al ingescand, ik kan het zo opsturen. Zoals ik al zei, we hebben zes volledige vingerafdrukken, en nog negen die niet helemaal gaaf zijn. Het was echt puur geluk dat we die auto zo snel vonden, en...'

'Dit is mijn e-mailadres,' zei ik. 'Het spijt me dat ik zo'n haast maak, maar ik kan niet wachten om het te zien.'

'Geen probleem.' Op de achtergrond hoorde ik het tikken van een toetsenbord. 'Het komt er nu aan. Als u nog iets nodig heeft of als u hier even wilt komen rondsnuffelen of zo, laat het me dan maar weten.'

'Dat zal ik zeker doen,' zei ik.

Sterker nog, terwijl hij praatte had ik al op de routeplanner op mijn laptop gekeken hoe je in Brick Township, New Jersey kwam. Als dit was wat het leek te zijn, zou ik rechercheur Cowen voor het einde van die dag in levenden lijve voor me hebben en zouden we daar even rondsnuffelen – *of zo*.

HOOFDSTUK 77

De beperking van de nieuwe vingerafdrukken uit New Jersey was dat ik ze nergens mee kon vergelijken. In ieder geval niet met strafbladen. Bijgevolg kon ik onmogelijk weten of ze allemaal van dezelfde persoon kwamen of niet.

Ik dacht aan Max Siegels aanbod om te helpen. Met de middelen die de FBI ter beschikking stonden, kon hij hier waarschijnlijk meer mee dan rechercheur Scott Cowen. Maar aan die stap was ik nog niet toe.

Daarom vroeg ik nog een gunst aan mijn contact bij de militaire inlichtingendienst in Lagos, Carl Freelander. Je kon beter vertrouwen op een bekende, vond ik, ook al zat hij aan de andere kant van de wereld en kreeg hij misschien genoeg van mijn telefoontjes.

'Twee keer in één maand, Alex?' vroeg hij. 'We moeten zo'n ponskaart voor je regelen. Vertel eens, wat kan ik voor je doen?'

'Ja, je hebt nóg een borrel van me te goed,' zei ik tegen hem. 'En voor wat het waard is, misschien jaag ik op dezelfde geest als de vorige keer, maar ik moet het zeker weten. Er zijn nog zes vingerafdrukken die ik door de civiele database wil halen. Misschien zijn ze allemaal van dezelfde persoon, misschien ook niet.'

Wat de kwaliteit van de vingerafdrukken betreft, had Cowen gelijk. De MPD hanteert een standaard van dertien herkenningspunten, die kunnen variëren van een richel of een onderbreking in een lijn tot lijnen die elkaar kruisen. Als twee vingerafdrukken dertien of meer dezelfde herkenningspunten hebben, heb je statistisch gezien een match, en ik had een stuk of zes goede scans waarmee ik kon werken.

Carl zei me dat ik ze naar hem toe kon sturen en dat ik het komende uur bereikbaar moest blijven.

Hij deed zijn woord gestand en belde vijftig minuten later terug.

'Ik heb goed nieuws en slecht nieuws,' zei hij. 'Twee van de zes afdrukken die je hebt opgestuurd gaven een militair. Je hebt de linkerwijs- en middelvingerafdruk van ene Steven Hennessey. Amerikaans Elitekorps, gevechtsklaar detachement Delta, van 1989 tot 2002.'

'Delta Force?' vroeg ik. 'Dat is geen kattenpis.'

'Bepaald niet. Hij heeft aan de gevechtsmissies in Panama, Irak en Somalië deelgenomen. En moet je dit horen: hij heeft in Kunduz geweertrainingen voor grondtroepen gehad. Dat lijkt mij een scherpschutter.'

Ik had het gevoel dat mijn fruitmachine net op bar-bar-bar was komen te staan. We hadden naar alle waarschijnlijkheid de tweede schutter gevonden, en deze had een naam.

'En het laatst bekende adres?' vroeg ik. 'Weten we waar Hennessey nu woont?'

'Ja, en dat is het slechte nieuws,' zei Carl. 'Cave Hill Cemetery in Louisville, Kentucky. Dat is een begraafplaats. Hennessey is al zes jaar dood, Alex.'

HOOFDSTUK 78

De drieënhalf uur lange rit naar New Jersey vloog voorbij, waarschijnlijk omdat mijn hersens het hele stuk op volle toeren werkten. Het was jammer dat ik zo'n haast had, want ik was graag via Irvington gereden, waar mijn neef Jimmy Parker een restaurant bezat, de Red Hat, aan de Hudson. God, zo'n onderbreking had ik goed kunnen gebruiken, en een stevige maaltijd ook.

Misschien lag daar op die begraafplaats in Louisville in Kentucky iemand begraven, maar ik durfde te wedden dat het niet de echte Steven Hennessey was. Niet met zijn vingerafdrukken op die Suburban.

De vraag was: wie was Hennessey in de afgelopen jaren geworden? En waar was hij nu? En wat hadden hij en zijn fantoompartner in New Jersey gedaan?

Mijn plan was rechercheur Cowen te ontmoeten bij het Turn-Millmeer, waar de wagen uit was opgevist. Ik wilde die plek nog bij daglicht zien; vervolgens zou ik achter hem aan rijden naar het terrein waar in beslag genomen auto's werden gestald.

Maar toen ik Cowen belde om te zeggen dat ik er bijna was, nam hij niet op.

Hij nam evenmin op toen ik op de afgesproken plek aan de zuidkant van het meer kwam. Ik was pissig, maar er viel op dat moment niet veel aan te doen – ik kon weinig anders doen dan uitstappen en eens rondkijken.

Het Turn-Millmeer was een van de drie meren in het gebied van Colliers Mills Wildlife Management Area, een natuurpark met een oppervlakte van duizenden hectares. Vanaf de plek waar ik stond zag ik alleen bomen, water en de onverharde weg waarover ik net was komen aanrijden.

Afgelegen genoeg om een auto te dumpen.

De grond langs de waterkant zat vol diepe voren en was ingeklonken, waarschijnlijk omdat de politie de Suburban daar uit het water had getakeld. Het leek me dat de wagen er vanaf de houten brug over het riviertje dat aan deze kant in het meer uitkwam in was geduwd.

Van bovenaf gezien zag het water er diep genoeg uit, maar dat was het dus niet. Ik vermoedde dat ze de wagen in het donker hadden gedumpt en zich niet van hun fout bewust waren geweest. Aan de andere kant was het natuurlijk niet iets wat je weer ongedaan kon maken.

Nadat ik alles goed in me op had genomen, wandelde ik terug naar mijn auto; het leek me niet echt moeilijk om het plaatselijke politiebureau te vinden. Maar toen ik wilde instappen, zag ik een patrouillewagen met grote snelheid naderen.

Hij scheurde een stuk langs het meer, verdween in de bossen, kwam weer te voorschijn en stopte vlak achter mijn wagen.

Een agent in uniform, een blonde vrouw, stapte uit en groette met haar hand terwijl ik naar haar toe liep.

'Rechercheur Cross?'

'De enige echte.'

'Ik ben agent Guadagno. Rechercheur Cowen heeft me gevraagd hierheen te rijden en u zo snel mogelijk mee terug te nemen. Er is een moord gepleegd, op een vrouw, Bernice Talley.'

Ik ging ervan uit dat ze alleen maar bedoelde dat Cowen van mijn zaak was gehaald.

'Hebben we nog iemand anders nodig om bij die Suburban te komen, of kunt u dat voor me doen?' vroeg ik Guadagno.

'Nee,' zei ze. 'Ik bedoel, u begrijpt het niet. Cowen wil dat u naar de plaats delict komt. Hij denkt dat er een verband is tussen de Suburban en de moord op mevrouw Talley.'

'De Suburban?' vroeg ik. 'Met mijn scherpschutterzaak?'

De agente frommelde aan de rand van haar pet. Ze leek een beetje zenuwachtig. 'Met allebei, misschien,' zei ze. 'Het is niet doorslaggevend, maar de man van deze vrouw is hier twee jaar geleden vlakbij doodgeschoten.' Ze wees op een stuk bos dertig meter verderop langs het meer. 'De lijkschouwer ging ervan uit dat het een jachtongeluk was, maar er heeft zich nooit iemand gemeld. Cowen denkt dat degene die de Suburban heeft gedumpt deze plek niet zomaar heeft uitgekozen, en om eerlijk te zijn komt moord hier niet bepaald vaak voor. Hij denkt dat de zoon, Mitchell Talley, weleens met beide sterfgevallen te maken kan hebben.'

Ze bleef met haar hand op het open portier staan en keek me voor het eerst recht aan.

'Rechercheur, misschien gaat het me niets aan, maar denkt u dat die man jullie scherpschutter in Washington zou kunnen zijn? Ik volg die zaak al vanaf het begin.'

Ik aarzelde. 'Laat ik eerst maar eens naar de plaats delict gaan voordat ik daar iets over zeg,' zei ik.

Maar in werkelijkheid was het antwoord: ja.

HOOFDSTUK 79

De politiewagens stonden twee rijen dik voor het huis van Bernice Talley. Om het huis heen was tape gespannen, waarlangs buren stonden toe te kijken. Ik twijfelde er niet aan of ze zouden hun deuren en ramen die nacht en nog talloze nachten erna extra goed op slot doen.

De agente die me had geëscorteerd liep voor me uit naar binnen en stelde me voor aan rechercheur Scott Cowen, die de leiding leek te hebben. Hij was een enorme kleerkast met een glanzend kaal hoofd dat de zon weerspiegelde terwijl hij sprak – en sprak, en sprak…

Net als door de telefoon lichtte hij me in met een uitgebreide, maar voor het grootste deel informatieve monoloog.

De jongen die iedere zondag haar gazon maaide, had mevrouw Talley dood op de keukenvloer aangetroffen. Ze was eenmaal van dichtbij door de slaap geschoten, met wat een 9-millimeter leek te zijn. De patholoog-anatoom kon nog niet precies zeggen op welk tijdstip de dood was ingetreden, maar wel dat het in de afgelopen tweeënzeventig uur was gebeurd.

De vrouw zou de afgelopen twee jaar alleen hebben gewoond; haar enige zoon, Mitchell, had het ouderlijk huis kort na de dood van zijn vader verlaten. Verder ging het gerucht dat meneer Talley op latere leeftijd zijn vrouw begon te slaan, en wellicht ook Mitchell had mishandeld.

'Dat zou een motief kunnen zijn – in ieder geval voor de moord op de vader,' voegde Cowen eraan toe. 'Wist ik maar waarom hij is teruggekomen om zijn arme moeder te vermoorden. En dan hebben we natuurlijk dit nog.'

Hij liet me in de woonkamer een boekenplank vol bekers en lintjes zien. Het waren allemaal schutterprijzen – van de New Jersey Rifle and Pistol Club, van de jeugdafdeling van de National Rifle Association – voor wedstrijden voor schoten over vijftig en driehonderd meter: prijzen voor trefzekerheid, de meeste voor de eerste plaats, sommige voor de tweede en derde.

'Die knul was een kampioen,' zei Cowen. 'Een soort wonderkind of zo. Misschien ook een beetje... U weet wel. Achterlijk.'

Hij wees op een ingelijste foto op een van de bijzettafeltjes. 'Dit is 'm, misschien tien jaar geleden. We zijn nog op zoek naar een recentere foto.'

De jongen op de foto moet een jaar of zestien zijn geweest. Hij had een rond gezicht, dat engelachtig zou zijn als hij niet die doffe blik en dat halfbakken snorretje had gehad. Het was moeilijk voor te stellen dat iemand hem op die leeftijd serieus had genomen.

Hij moet het van de wapens hebben, dacht ik. Dat is altijd zo geweest.

Ik keek nog een keer naar al die prijzen en bekers. Misschien was dat het enige waar Mitchell Talley ooit goed in was geweest. Het enige in zijn leven waar hij controle over had. Zo op het eerste gezicht leek er wel wat in te zitten.

'Wanneer is hij hier voor het laatst gezien?' vroeg ik. 'Ging hij weleens bij haar op bezoek?'

Cowen haalde verontschuldigend zijn schouders op. 'Dat weten we nog niet. We zijn hier zelf ook nog maar net,' zei hij. 'We hebben zelfs nog geen vingerafdrukken in het huis genomen. We hebben alleen de moeder gevonden. U heeft geluk dat u hier bent.'

'Nou, ik ben echt een geluksvogel.'

Ik had de indruk dat de mensen hier ook nerveus werden van de hoge prioriteit die de scherpschutterzaak had. Ze leken allemaal te weten wie ik was, iedereen gaf me de ruimte.

'Maakt u zich geen zorgen,' zei ik tegen Cowen. 'U bent al verder gekomen dan ik had verwacht. Maar ik heb wel ideeën over hoe het vanaf hier verder moet.'

HOOFDSTUK 80

Een aantal dingen gebeurde heel snel in Brick Township, vooral omdat ik dat nodig had.

Met behulp van mijn contacten bij de Field Intelligence Group in Washington slaagde ik er al snel in de FIG-coördinator van het FBI-kantoor in Newark te pakken te krijgen. Omdat het zondagavond was en we voldoende aanleiding hadden om te mogen aannemen dat Mitchell Talley staatsgrenzen had gepasseerd of zou passeren, kostte het geen moeite onmiddellijk een tijdelijk aanhoudingsbevel uitgevaardigd te krijgen. Dan had Cowen achtenveertig uur om een officieel aanhoudingsbevel te regelen. In de tussentijd kon Newark het bericht per direct over de oostkust verspreiden.

Het voorlopige plan was geen enkele verwijzing naar Steven Hennessey of een medeplichtige te maken. In het aanhoudingsbevel stond alleen dat Mitchell Talley werd gezocht voor ondervraging naar aanleiding van de dood van Bernice en Robert Talley. Waar onze veronderstelde scherpschutters ook mochten zijn, zolang ik niet meer gegevens had, mochten zij niet weten dat wij een connectie tussen deze zaak en die in DC vermoedden.

Cowen ging daarmee akkoord. Ondertussen zorgde ik ervoor dat zijn mensen contact legden met Newark, zodat ze op hun zoektocht naar de verdachte zouden samenwerken. Iemand vond een recenter kiekje in een van de fotoalbums van zijn moeder, en die werd ingescand voor de lokale en regionale oproep voor een OV: opsporing verzocht.

Realistisch gezien verwachtte niemand dat Talley in de buurt was. We richtten dan ook het grootste deel van onze inspanningen op het bekijken van meldingen van gestolen auto's, het monitoren van vervoersknooppunten en het achterhalen van bewakingsopnames op vliegvelden en bus- en treinstations. Met een beetje geluk zouden ze erin slagen ergens een ooggetuige of zelfs een relevant stukje videomateriaal te vinden.

Tot dan toe was een oudere buurvrouw van mevrouw Talley nog het dichtst in de buurt van een aanwijzing gekomen: ze had een paar avonden geleden een of andere sedan voor het huis geparkeerd zien staan. Maar ze wist niet van welk merk hij was of welke kleur hij had, en zelfs niet hoe lang hij daar had gestaan.

Voor wat het waard was stuurde ik de informatie door naar Jerome Thurman, die in de sluipschutterzaak al vanaf het begin alle aan voertuigen gerelateerde aanwijzingen voor me uitzocht.

Inmiddels begon ik het gevoel te krijgen dat ik al veel te lang uit DC weg was. Misschien hadden Talley en Hennessey helemaal geen plannen om naar Washington terug te keren (als ze daar überhaupt al vandaan waren gekomen), maar daar moest ik wel van uitgaan. Ik wist niet beter of ze zaten daar hun volgende moordaanslag voor te bereiden.

Zodra ik alles met rechercheur Cowen had afgewikkeld, stapte ik weer in mijn auto en ging terug naar huis – en snel ook, ik reed het hele stuk met loeiende sirene.

HOOFDSTUK 81

Om halfnegen de volgende ochtend sloeg Colleen Brophy de hoek van E Street om en liep ze het plein voor de Church of Our Lady op, waar ik, voor het kantoortje van de *True Press*, op haar stond te wachten. Er hing een uitpuilende rugzak aan haar schouders en ze hield een stapel kranten in haar armen. Uit haar mondhoek bungelde een bijna opgerookte sigaret.

'O god,' zei ze toen ze me zag. 'U weer. Wat wilt u nu weer?'

'Ik zou niet zijn gekomen als het niet belangrijk was, mevrouw Brophy,' zei ik. 'Ik weet maar al te goed hoe u hierover denkt.' Maar na die lange zondag was het, zoals Sampson het graag noemt, 'geen dag voor rotgedrag'.

De uitgeefster van *True Press* legde de stapel kranten neer en ging op het stenen bankje zitten waar ik net van was opgestaan.

'Wat kan ik voor u doen?' vroeg ze zonder iets aan sarcasme te hebben ingeboet. 'Alsof ik een keus heb.'

Ik liet haar de foto van Mitchell Talley zien. 'Herkent u deze man?'

'O, kom nou toch, zeg,' zei ze meteen. 'Denkt u nou echt dat deze man mij die e-mails heeft gestuurd?'

'Ik neem aan dat dat een ja was. Bedankt. Wanneer heeft u hem voor het laatst gezien?'

Ze pakte een nieuwe sigaret uit haar pakje en stak hem, voordat ze antwoordde, aan met het laatste stukje peuk.

'Is het echt nodig dat ik hieraan meedoe?' vroeg ze. 'Het vertrouwen dat ik bij deze mensen heb is kwetsbaar.'

'Het gaat hier niet om een of andere winkeldief, mevrouw Brophy.'

'Dat begrijp ik, maar om die winkeldieven maak ik me juist zorgen. Veel van de daklozen met wie ik werk kunnen niet overleven zonder zo nu en dan de wet te overtreden. Als een van hen mij met u ziet praten...'

'Dit gesprek blijft vertrouwelijk,' zei ik. 'Niemand hoeft ervan te weten. Dat wil zeggen, aangenomen dat we het voortzetten. Dus u kent hem?'

Na een lange pauze en een paar trekjes zei ze: 'Ik denk dat het vorige week was. Ze haalden op woensdag hun kranten op, net als de anderen.'

'Ze?' vroeg ik.

'Ja. Mitch en zijn vriend, Denny. Ze vormen een soort...'

Ze viel stil, draaide langzaam haar hoofd en keek me recht aan. Het leek alsof ze net een conclusie had getrokken. Of misschien waren het er twee.

'O god,' zei ze. 'Ze vormen een soort team. Zij zijn het, hè?'

Ik voelde een mentale klik, zo een die er is als alle puzzelstukjes op hun plek vallen. Had ik Steven Hennessey gevonden?

'Wat is Denny's achternaam?' vroeg ik haar.

'Dat zou ik eerlijk gezegd niet weten,' zei ze. 'Hij is blank, lang en mager. Hij heeft een stoppelbaard, een beetje een...' Ze maakte een gebaar met haar hand onder haar kaak. 'Een ingevallen kin, zo zou je het geloof ik kunnen zeggen. Hij begeleidt Mitch min of meer.'

'En u zegt dat ze op woensdag hun kranten komen halen?'

Ze knikte. 'Soms, als ze zijn uitverkocht, komen ze tussendoor nog een keer, voor nieuwe, maar de laatste tijd heb ik hen niet meer gezien. Dat zweer ik. Ik begrijp nu wel wat de ernst van de situatie is.'

'Ik geloof u,' zei ik. Haar houding was volkomen veranderd. Ze zag er nu vooral verdrietig uit. 'Heeft u enig idee waar ik hen zou kunnen vinden?'

'Overal en nergens. Denny rijdt in een oude witte Suburban rond – als hij de benzine tenminste kan betalen. Ik weet dat ze er ook weleens in slapen.' De Suburban zou me niet meer naar hen leiden, maar dat zei ik niet tegen mevrouw Brophy.

'En u kunt de opvanghuizen proberen. Achter in de krant staat een lijst.' Ze pakte een *True Press* van de stapel en gaf hem aan mij. 'God, weet u, ik vind het vreselijk dat ik u dit allemaal moet vertellen.'

'Dat is helemaal niet nodig,' zei ik en betaalde haar een dollar voor de krant. 'U doet wat juist is'

Eindelijk.

HOOFDSTUK 82

Na een lange dag van navraag doen in daklozenopvangen en gaarkeukens was ik geen stap verder gekomen. Voor hetzelfde geld waren Talley en Hennessey nog in New Jersey. Of naar Canada vertrokken. Of in rook opgegaan.

Maar toen ik nog even naar het politiebureau terugging om een aantal dossiers op te halen die ik thuis wilde bekijken, liep ik bij de lift Jerome Thurman tegen het lijf, en hij had nieuws.

'Alex! Op weg naar buiten?'

'Dat was wel de bedoeling, ja,' zei ik.

'Nu niet meer, denk ik.'

Hij hield een uitgeprinte pagina in de lucht. 'Ik denk dat we hier misschien iets hebben. Interessant materiaal.'

Normaal gesproken werkte Jerome niet in First District, maar ik had op de afdeling Autodiefstallen een ruimte aan het eind van de gang voor hem geregeld; daar ploos hij aanwijzingen met betrekking tot auto's voor me uit. 'Een ruimte' hield in: de dossierkamer met een stapel kratjes waar hij zijn laptop op kon zetten. Jerome is niet iemand die veel klaagt.

Op het printje stond een lijst kentekennummers van gestolen auto's, van een database van de FBI. Om een van de nummers was met een blauwe pen een cirkel getrokken.

NJ-DCY 488

'Dat is het kentekennummer van een Lexus ES die vrijdagavond bij een appartementencomplex in Colliers Mills in New Jersey is gestolen,' zei hij. 'Dat is drie, vier kilometer van de plek waar die witte Suburban van jou in het water is gedumpt.'

Ik veroorloofde me een lachje. 'Zeg me dat je meer hebt, Jerome,' zei ik. 'Je hebt nog meer, toch?'

'Het beste deel moet nog komen. Dat kenteken is zaterdagmorgen om kwart voor vijf door een ANH-camera op vliegveld National geregistreerd.'

ANH stond voor automatische nummerbordherkenning. Zo'n camera gebruikte optische scanningsoftware om het nummerbord van passerende auto's te lezen en vergeleek het nummer met lijsten van gezochte en gestolen wagens. Ook al werkte het systeem nog niet perfect, de technologie was verbazingwekkend.

'Waarom weten we dit nu pas?' vroeg ik. 'Het is meer dan achtenveertig uur geleden gesignaleerd. Wat was het probleem?'

'Het systeem bij het vliegveld geeft geen live-verslag,' zei Jerome. 'Het wordt van maandag tot vrijdag één keer per dag handmatig gedownload. Ik heb het net binnengekregen. Maar waar het om gaat, Alex, is dat die vogels volgens mij naar hun nest terugkeren.'

'Ik denk dat je gelijk hebt,' zei ik en liep terug naar mijn werkkamer.

Maar nog voordat ik aan mijn bureau zat, veranderde mijn opwinding. Dit mes zou weleens aan twee kanten kunnen snijden. De druk op Talley en Hennessey steeg, dus ik zou niet weten waarom ze naar DC zouden terugkomen. Er was gerede kans dat er, als we hen niet zouden vinden, een andere vos in het kippenhok tegen een kogel op zou lopen.

Maar als je topwerk wilt afleveren, gaat er niets boven een beetje stress, nietwaar?

HOOFDSTUK 83

Het was iets na middernacht toen Denny naar de zwarte Lincoln Town Car op Vermont Avenue liep en instapte. De man van wie hij alleen wist dat hij hem Zachary moest noemen, wachtte op hem. Zachary's doorgaans naamloze chauffeur, een idioot, zat achter het stuur en keek strak voor zich uit.

'Het is een aflopende zaak,' zei Denny zonder veel omhaal van woorden. 'We moeten ermee stoppen voor het uit de hand loopt.'

'Daar zijn wij het mee eens,' zei Zachary. Alsof hij de beslissingen nam. Alsof hij, en niet de grote man in de ivoren toren, wie dat ook mocht zijn, aan de touwtjes trok, cheques uitschreef, de lakens uitdeelde.

Zachary nam een effen bruine map uit het vakje aan de achterkant van de bestuurdersstoel en gaf die aan Denny. 'Dit wordt onze laatste regeling,' zei hij. 'Ga je gang. Pak maar.'

Regeling. Die vent bakte ze bruin.

In de map zaten twee dossiers, als je ze tenminste zo kon noemen – iemand had een paar foto's, paragraafjes tekst en gegoogelde kaarten op printpapier geplakt, het zag eruit als een stompzinnig schoolproject. Waar de grote baas zijn miljoenen ook aan mocht spenderen, in ieder geval niet aan het in elkaar knutselen van zijn documenten.

Maar de namen die erin stonden? Díe waren wél indrukwekkend.

'Zo zo,' zei Denny. 'Ik zie dat je baas met een knallend slotakkoord wil eindigen. Dat was een woordspeling, grapje. Kost je niets extra.'

Zachary schoof zijn pretentieuze hoornen bril iets hoger op zijn neus. 'Concentreer jij je nou maar op het materiaal,' zei hij.

Hij had hem graag een tik op zijn smoel willen geven. Niet echt hard, alleen maar om de uitdrukking op zijn gezicht te veranderen. Het zou al een hele verbetering zijn als zijn gezicht überhaupt íets zou uitdrukken.

Maar dit was niet het moment om buiten de lijnen te tekenen. Dus hield Denny zijn mond en nam in een paar minuten alle informatie in zich op. Toen schoof hij de bruine map terug in het vak en leunde achterover.

Het deel dat nu kwam, was inmiddels routine. Zachary reikte naar voren, pakte het canvas zakje aan van minister Persoonlijkheid voorin en legde het op de armleuning. Denny pakte het.

Hij voelde onmiddellijk dat het te licht was.

'Wat is dit verdomme?' vroeg hij en gooide het zakje terug op de armsteun.

'Dat,' zei Zachary, 'is eenderde. Je krijgt de rest na afloop. We doen het deze keer iets anders.'

'Mooi niet!' zei hij, maar hij had het nog niet gezegd of de chauffeur had zich omgedraaid en schoof een vette .45 tot halverwege Denny's neus. Hij kon zelfs sporen van kruitdampen ruiken. Dat wapen was recentelijk gebruikt.

'Luister goed,' zei Zachary. Het leek wel alsof hij spinde van tevredenheid. 'Je krijgt het volle pond. Alleen de betaalwijze verandert.'

'Bullshit!' zei Denny. 'En dit is geen goed moment om me in de maling te nemen.'

'Luister gewoon, *Steven*,' zei Zachary. 'Je onbekwame optreden in New Jersey is niet in goede aarde gevallen. Nu de autoriteiten weten wie je bent, is dit een normale manier van handelen. Dus, ronden we dit probleemloos af of niet?'

Het was niet echt een vraag en Denny antwoordde niet. Hij

stak zijn hand uit en pakte het zakje. Wat moest hij anders? De
.45 werd uit zijn gezicht gehaald en de chauffeur stak hem weer
bij zich, al draaide hij zich niet om.

'Heb je de auto gezien die achter ons staat?' vroeg Zachary
zacht, alsof ze de hele tijd vriendschappelijk hadden zitten babbelen.

En inderdaad, Denny had hem zien staan, een oude blauwe
Subaru stationwagen met nummerborden uit Virginia. Zijn
alertheid kon hij niet naar believen aan- en uitzetten.

'Wat is daarmee?' vroeg hij.

'Je moet de stad uit. We krijgen hier te veel aandacht. Neem
Mitch mee en ga naar een rustig plekje – West Virginia of zo,
waar jij denkt dat je goed zit.'

'Zomaar? En wat moet ik dan tegen Mitch zeggen?' vroeg Denny. 'Hij stelt nu al te veel vragen.'

'Ik weet zeker dat je wel iets kunt bedenken om hem zoet te
houden. En neem dit mee.' Zachary gaf hem een zilverkleurige
Nokia, waarschijnlijk gecodeerd. 'Laat hem uitstaan maar check
hem minimaal één keer in de zes uur. En wees altijd voorbereid
om te vertrekken zodra we je daartoe opdracht geven.'

'Even uit nieuwsgierigheid,' zei Denny. 'Hoezo heb je het nu
opeens over we? Weet jij eigenlijk wel voor wie je werkt?'

Zachary reikte voor hem langs en opende het portier naar de
stoep. Ze waren voorlopig klaar.

'Dit wordt je klapper, Denny,' zei hij. 'Verknoei het niet. Maak
geen fouten meer.'

HOOFDSTUK 84

De tweede dag dat ik de daklozenopvangen afging, deed ik wat ik al veel eerder had moeten doen: ik zette een groter deel van mijn eenheid, onder wie ook Sampson, op deze zaak. Ik belde zelfs naar Max Siegel om te zien of ik van zijn aanbod gebruik kon maken en of hij wat mensen had die konden bijspringen.

Tot mijn verbazing verscheen Max zelf, in het gezelschap van twee geestdriftige assistenten. We verdeelden de lijst en spraken af dat we aan het eind van de dag bij elkaar zouden komen om rond etenstijd gezamenlijk een aantal van de grotere faciliteiten te checken.

Zo zaten we om vijf uur 's middags in de Lindholm Family Services, waar ze op dat moment de deuren openden voor het avondeten. Ze serveerden hier meer dan duizend maaltijden per dag, voor een groot deel aan een clientèle die aan de verwachtingen voldeed, maar voor een klein deel dat daarvan afweek.

Er waren gezinnen met kinderen, spierbundels, mensen die in zichzelf praatten en lui die eruitzagen alsof ze zo uit een kantoor in de buurt kwamen, en ze zaten met z'n allen schouder aan schouder aan lange kantinetafels te eten.

Het eerste uur was een frustrerende herhaling van de dag ervoor. Geen van de mensen die bereid waren met me te praten, herkende Mitch' foto of de oude foto van Steven Hennessey, alias Denny. Sommigen wilden helemaal niet met de politie praten.

Eén persoon leefde wel heel erg in zijn eigen wereld. Hij zat aan het eind van de tafel, van de rest weggedraaid. Zijn dienblad balanceerde op de hoek van de tafel en hij mompelde in zichzelf. Ik kwam dichterbij.

'Mag ik even storen?' vroeg ik.

Zijn lippen stopten met bewegen, maar hij keek niet op. Daarom hield ik de foto laag voor hem, zodat hij hem kon zien.

'We hebben een bericht voor deze man, hij heet Mitch Talley. Iemand uit zijn familie is overleden, dat moet hij weten.'

Dit was het soort halve leugen waar je soms mee moet kunnen leven om iets voor elkaar te krijgen. We droegen vandaag ook allemaal gewone kleren. Jasjes-dasjes kunnen op een plek als deze een averechtse uitwerking hebben.

De man schudde zijn hoofd. 'Nee,' zei hij te snel. 'Nee. Sorry. Ik ken hem niet.' Hij had een zwak accent, volgens mij Oost-Europees.

'Kijk nog eens,' zei ik. 'Mitch Talley? Meestal is hij in gezelschap van een kerel die Denny heet. Komt dat je bekend voor? We kunnen je hulp goed gebruiken.'

Hij keek nog wat langer en streek afwezig over zijn peper-en-zoutbaard, die halverwege in de klit was geraakt en dreadlocks vormde.

'Nee,' zei hij opnieuw zonder ook maar op te kijken. 'Het spijt me. Ik ken hen niet.'

Ik drong niet aan. 'Oké,' zei ik. 'Mocht je je bedenken, ik ben hier nog wel even.'

Zodra ik wegliep, begon hij weer te murmelen, en ik ging op mijn gevoel af en hield hem in de gaten.

En inderdaad, ik was nog niet aan een gesprek met de volgende begonnen of de mompelaar stond op. Zijn dienblad, met het grootste deel van zijn avondeten erop, liet hij op tafel staan.

'Meneer?' riep ik zo luid dat een paar mensen om hem heen zich omdraaiden.

Maar hij niet. Hij liep door.

'Meneer?!'

Ik ging achter hem aan, wat Sampsons aandacht trok. De

mompelaar spoedde zich duidelijk via de kortste weg naar de uitgang. Toen hij besefte dat we achter hem aankwamen en uiteindelijk omkeek, zette hij het op een lopen. Hij vloog voor ons uit door de dubbele voordeur, 2nd Street op.

HOOFDSTUK 85

Tegen de tijd dat Sampson en ik buiten kwamen, was onze hardloper al bijna bij de hoek. Hij zag eruit alsof hij begin vijftig was, maar hij rende nog soepel.

'Godverdegodver...'

Achtervolgingen te voet zijn waardeloos. Gewoonweg waardeloos. Maakt niet uit wat de variabele groottheden zijn, je zit er aan het eind van een lange werkdag gewoon niet op te wachten. Maar Sampson en ik renden ondertussen wel achter een of andere mafketel op 2nd Street aan.

Ik schreeuwde een paar keer dat hij moest stoppen, maar dat was hij duidelijk niet van plan.

D Street stond dankzij het spitsuur zo vol dat hij betrekkelijk eenvoudig kon oversteken.

Ik rende tussen een taxi en een EMCOR-vrachtwagen door, onder luid gejubel van lui die op tuinstoelen voor het opvanghuis zaten.

'Rennen, jongen! Rennen!'

'Hou vol, hou vol, hou vol!'

Ik ging ervan uit dat ze het niet tegen mij hadden.

Hij rende rechtdoor, het parkje bij het Labor Department in. Dat sneed tussen de wolkenkrabbers door naar Indiana Avenue en Union Station Plaza, maar zo ver kwam hij niet.

Het terrein was hier terrasgewijs aangelegd, en toen hij zich op en over de eerste steunmuur slingerde, verloor hij zoveel snelheid dat ik hem, met één voet op het muurtje, bij zijn schouders kon pakken, zodat we samen hard in de struiken eronder terechtkwamen. Gelukkig was de ondergrond hier niet zo hard.

Hij begon meteen met me te vechten: hij probeerde zich los te rukken en me te bijten. Sampson stond me bij en plantte zijn knie in zijn rug terwijl ik overeind kwam.

'Verroer je niet!' schreeuwde John terwijl ik hem snel fouilleerde.

'Nee! Nee! Alstublieft!' schreeuwde hij. 'Ik heb niets gedaan! Ik ben onschuldig!'

'Wat is dít?'

Ik haalde een mes uit een van de zakken van zijn smerige corduroy jas. Het zat in een omhulsel van toiletpapier met ducttape eromheen.

'Dat mag u niet afpakken!' zei hij. 'Alstublieft! Dat is van mij!'

'Ik pak hem niet af,' zei ik tegen hem. 'Ik hou hem nu alleen even bij me.'

We trokken hem overeind en loodsten hem terug naar het muurtje, zodat hij kon zitten.

'Meneer, heeft u een arts nodig?' vroeg ik. Hij had, toen ik hem van het muurtje trok, zijn voorhoofd flink geschaafd. Daar had ik een beetje een rotgevoel over. Zoals hij daar voor me stond te trillen, had hij iets meelijwekkends, ook al had hij zich net nog aardig verweerd en geprobeerd een van mijn vingers af te bijten.

'Nee,' zei hij. 'Nee.'

'Weet u het zeker?'

'Ik ben niet verplicht met u te praten. U heeft geen enkele reden me te arresteren.'

Zijn Engels was goed, zij het wat hoogdravend. En hij was duidelijk minder van de wereld dan ik had gedacht, alhoewel hij me nog steeds niet wilde aankijken.

'En dit dan?' vroeg ik op het mes wijzend. Ik gaf het aan Sampson. 'U bent net van uw avondeten weggerend. Wilt u een hotdog? Of iets te drinken?'

'Ik ben niet verplicht met u te praten,' zei hij weer.

'Ja, dat heb ik gehoord. Een colaatje?'

Hij knikte naar de grond.

'Eén hotdog, één cola,' zei Sampson en hij liep naar de kraampjes op D Street. Ik zag Siegel en zijn mannen op de stoep, ze stonden te wachten om te horen wat er was gebeurd. Max hield nu in ieder geval afstand; dat was voor de verandering heel aangenaam.

'Luister,' zei ik. 'Is het u opgevallen dat ik u niet naar uw naam heb gevraagd? Ik wil alleen die man op de foto vinden, en ik denk dat u iets weet wat u voor zich houdt.'

'Nee,' hield hij vol. 'Nee. Nee. Ik ben gewoon een arme sloeber.'

'Waarom rende u dan weg?' vroeg ik.

Maar hij wilde geen antwoord geven, en ik kon hem niet dwingen – daar had hij gelijk in. Mijn voorgevoel volstond niet om hem aan te houden.

Bovendien waren er andere manieren om informatie los te krijgen.

Toen Sampson met de hotdog terugkwam, at de man hem in drie happen op, sloeg de cola achterover en stond op.

'Ik ben vrij om te gaan, toch?' vroeg hij.

'Neemt u mijn visitekaartje mee,' zei ik. 'Voor het geval u van gedachten verandert.'

Ik reikte het hem aan en Sampson gaf hem het mes met de papieren beschermhuls terug. 'U heeft geen geld nodig om te bellen,' zei ik. 'U hoeft alleen maar een willekeurige agent op straat aan te spreken en te zeggen dat u mij wilt spreken. En zorg ervoor dat u niet in de problemen komt met dat mes, oké?'

Hij zei ons geen gedag, dat sprak voor zich. Hij nam het kaartje zonder ernaar te kijken aan, stak het mes in zijn zak en liep onder ons toeziend oog naar D Street.

'Zeg het maar, Sampson,' zei ik. 'Denk jij wat ik denk?'

'Ik denk het wel,' zei hij. 'Hij weet iets. Ik laat hem eerst even de hoek om slaan.'

'Prima. Ik vraag Siegel wel de opvang af te maken. Daarna breng ik dit blikje naar het lab, misschien levert het iets op.'

Onze raadselachtige man had 1st Street bereikt. Hij sloeg links af en verdween uit beeld.

'Oké, ik ga erachteraan,' zei Sampson. 'Ik bel wel als ik iets te melden heb.'

'Ik ook,' zei ik, en we gingen uit elkaar.

HOOFDSTUK 86

Stanislaw Wajda liep met bonkend hart weg van de rechercheurs. Maar hij was nog niet van ze af. O nee. Absoluut niet.

Sterker nog, toen hij de hoek van 1st bereikte en een snelle blik over zijn schouder wierp, zag hij dat ze hem nog steeds in de gaten hielden. Ze zouden hem vast volgen.

Het was fout geweest om het op een lopen te zetten. Dat had het alleen maar erger gemaakt. Voorlopig had hij geen andere optie dan door te lopen. Ja. Hij zou later wel bedenken wat hij moest doen. Ja.

Het winkelwagentje stond nog op de plek waar hij het had achtergelaten, in een nis aan de achterkant van het Lindholm Center. Het was niet de bedoeling dat je de achterdeur gebruikte. Sterker nog, er waren niet veel mensen die van het bestaan ervan op de hoogte waren.

De nis was maar net groot genoeg om het wagentje, als hij het zelf niet in het oog kon houden, erin te verbergen zodat je het vanaf de straat niet kon zien. Hij trok het te voorschijn en duwde het langzaam en op zijn hoede naar 1st, klaar om het weer op een lopen te zetten zodra dat nodig was.

Het was prettig om te lopen. Hij werd er rustig van. Het gerammel van de heen en weer slingerende voorwielen van het winkelwagentje verdoezelde de andere stadsgeluiden. Het creëerde een ruimte waarin hij helder kon denken en zich kon concentreren op zijn werk en de vraag wat zijn volgende stap was.

Waar was hij ook alweer gebleven?

De vierenveertigste Mersenne, was dat het? Ja. Daar was hij gebleven. De vierenveertigste Mersenne.

Het kwam langzaam terug, het borrelde uit de diepten van zijn brein omhoog, tot hij het weer helder voor zich zag.

Voor zich zag en uit kon spreken.

Toen ze kwamen, tuimelden de woorden naar buiten, maar rustig, het was niet meer dan gemurmel. Niets wat iemand zou kunnen verstaan, gewoon net genoeg om het getal opnieuw tot een werkelijkheid te maken.

'Twee tot de tweeëndertig miljoen, vijfhonderdtweeëntachtigduizend en zeshonderdvijfenzeventigste,' zei hij.

Ja. Dat was hem, precies. De vierenveertigste Mersenne. Ja. Ja. Ja.

Hij versnelde zijn pas en liep zonder nog om te kijken de straat uit.

HOOFDSTUK 87

Het was rustig op de afdeling Vingerafdrukken. Er was alleen iemand van het burgerpersoneel in het lab, een analist die Bernie Stringer heette en meestal 'Strings' werd genoemd. Terwijl hij aan het werk was, hoorde ik de heavy metal uit zijn iPod blèren.

'Als het maar geen spoedgeval is!' schreeuwde hij en trok een oordopje uit zijn oor. 'De Narcoticabrigade zit me ook al achter mijn vodden.' Er lagen twee volle dozen met diapositieven op de werktafel naast hem.

'Ik heb alleen maar wat afdrukken van dit blikje nodig,' zei ik terwijl ik het colablikje bij de randen voor hem ophield.

'Vanavond nog?' vroeg hij.

'Hm, nu meteen, eigenlijk.'

'Leef je uit, man. Het cyanoacrylaat ligt in de la onder de cyanoacrylaatkast.'

Dat vond ik prima. Ik hield er wel van om af en toe zelf iets in het lab te doen. Het gaf me het gevoel slim te zijn, ook al behoort het zichtbaar maken van vingerafdrukken tot de grondbeginselen van de forensische wetenschap.

Ik liep naar de cyanoacrylaatkast en zette het blikje er rechtop in. Vervolgens liet ik een paar druppels cyanoacrylaat, wat eigenlijk gewoon superlijm is, op een schaaltje vallen, sloot de kast af en liet de boel opwarmen.

Een kwartiertje later waren er vier prachtige afdrukken op het blikje zichtbaar geworden. De afdruk van Sampsons klauw zat er ook op, maar die was eenvoudig te onderscheiden, zo groot was hij.

Ik bepoederde de vingerafdrukken die ik wilde hebben met zwart poeder en maakte er voor de zekerheid een paar foto's van.

Toen ik klaar was, hoefde ik ze alleen nog maar met doorzichtig tape van het blikje af te trekken en ze op hun rug op een fiche te leggen, zodat ze gescand konden worden.

'Hé, Strings!' riep ik door het lab. 'Kan ik het systeem even gebruiken?'

'Ga je gang! Het wachtwoord is D-I-K-B-I-L.'

'Ja, natuurlijk,' zei ik.

'Huh? Hoezo?'

'Nee, niets.'

Een halfuurtje nadat ik ze in de computer had gezet, spuugde het identificatiesysteem er vier mogelijke matches uit. De definitieve vergelijking kost de meeste tijd en wordt met het blote oog gedaan, wat goed is, omdat het ervoor zorgt dat het proces menselijk blijft.

Ik deed er niet lang over om een van de vier te kunnen confirmeren.

Het tentboogpatroon op de wijsvinger van onze man was onmiskenbaar – een definitiever beeld kon dit gepuzzel niet opleveren.

Met een paar toetsaanslagen had ik zijn naam en gegevens voor me.

Stanislaw Wajda.

Daarmee was het accent in ieder geval verklaard. Hij was één keer eerder gearresteerd, wegens een aanklacht van huiselijk geweld in College Park in Maryland, anderhalf jaar geleden. Het leek niet veel.

Maar in werkelijkheid was me net een moordenaar in de schoot geworpen.

HOOFDSTUK 88

Een eerste online-zoektocht naar 'Stanislaw Wajda' leverde wel heel erg veel resultaten op. Toen ik op nieuwsberichten filterde, kreeg ik een reeks krantenartikelen over zijn vermissing.

Dat zag er veelbelovend uit en ik klikte de bovenste aan, uit de *Baltimore Sun*.

Verdwijning professor met vragen omgeven

12 april 2009, College Park – De zoektocht naar professor Stanislaw Wajda (51) van de Universiteit van Maryland, die voor het laatst is gezien toen hij in de avond van 7 april het A.V. Williams-gebouw op het universiteitsterrein verliet, gaat onverminderd door.

Sindsdien is Wajda's geestelijke gesteldheid op het moment van zijn verdwijning, onderwerp van wilde speculaties. Hoewel de lokale politie en medewerkers van de universiteit ieder commentaar weigeren, is het algemeen bekend dat de professor zich het afgelopen halfjaar zonderling gedroeg.

In oktober werd de politie wegens vermeend huiselijk geweld naar Wajda's huis aan Radcliffe Drive geroepen. Wajda, die geen strafblad had, werd geweldpleging ten laste gelegd en verbleef een nacht op het politiebureau, waarna de aanklacht werd ingetrokken.

Professor Wajda is het afgelopen jaar twee keer voor de hoogste bestuursfunctionaris van de universiteit geroepen; één keer vanwege niet nader gespecificeerd agressief gedrag jegens een promovendus, en één keer na een – volgens een ooggetuige – explosief voorval

in verband met een zoekgeraakt tijdschrift in de universiteitsbiblio-
theek.

Wajda, die professor in de wiskunde is, kwam in 1979 vanuit Po-
len naar de Verenigde Staten om aan de Universiteit van Boston te
studeren, waar hij op zijn werkterrein verschillende prijzen in de
wacht sleepte. Nog niet zo lang geleden was hij onderwerp van de
PBS NOVA-*documentaire* Om in de gaten te houden, *naar aanlei-*
ding van zijn studie naar priemgetallen, maar vooral ook vanwege
zijn zoektocht naar wat door velen als de heilige graal van de mo-
derne wiskunde wordt beschouwd, de Riemann-hypothese...

Daar stopte ik met lezen; ik stond op, toetste Sampsons nummer
in en beende het lab uit.

'Strings, bedankt!'

'Geen probleem. Graag gedaan.'

HOOFDSTUK 89

'Waar zit je, John?'

'Het is niet te geloven, maar ik sta weer voor die stomme daklozenopvang. Die vent heeft een paar rondjes met zijn winkelwagentje gereden en zich nog voordat Siegel en de rest waren vertrokken weer hier gemeld, deze keer voor een bed. Donny Burke neemt het vanavond van me over.'

'We moeten hem daar weghalen,' zei ik.

'Waarom klink je alsof je rent?'

'Hij is een wiskundeprofessor, John. Een expert in priemgetallen. En in de Riemann-hypothese.'

'Wat?'

'Ja. Zijn naam is Stanislaw Wajda en hij wordt sinds meer dan een jaar vermist. Wacht op me. Ik kom eraan.'

Te voet was ik sneller bij de daklozenopvang dan wanneer ik de auto nam. Ik rende de trap aan de achterkant af en nam de kortere route over Judiciary Square.

'Komt voor elkaar,' zei Sampson. 'Tegen de tijd dat je hier bent, heb ik hem buiten.'

'John, niet…'

Maar hij had al opgehangen. Sampson is soms net zo koppig en eigenwijs als ik, een goede reden om het hem niet echt kwalijk te nemen.

Ik versnelde mijn pas.

Vanaf Judiciary Square kwam ik op 4th Street en rende ik door naar 2nd. Maar nog voordat ik daar was aangekomen, zag ik dat

Sampson op me af rende, alsof hij via de achterkant van de daklozenopvang naar buiten was gekomen.

'Alex, hij is verdwenen! Zijn winkelwagentje staat er niet meer, er is verdomme een achteruitgang die ik eerder over het hoofd heb gezien. Hij heeft me beetgenomen! Hij is 'm gesmeerd!' Sampson draaide zich om, trapte een vuilnisbak van het trottoir en joeg een fontein van vuilnis over straat.

Voordat hij nog een trap kon uitdelen, trok ik hem terug. 'Hou je gemak, John. Niet alles tegelijk. We weten nog niets zeker.'

'Kom niet met dat soort flauwekul aanzetten,' zei hij. 'Het is hem. En ik druk hem eerst dat mes weer in zijn hand en laat hem vervolgens ontsnappen.'

'Dat hebben we samen gedaan, John,' zei ik. 'Sámen.'

Maar Sampson hoorde me niet. Het maakte niet uit wat ik zei, hij gaf zichzelf de schuld. Dus ik probeerde het ook niet – ik ging tot actie over.

'Hij kan niet ver weg zijn,' zei ik. 'Hij is vast niet in een taxi gesprongen. We lopen gewoon de buurt af, als het moet de hele nacht. Ik zet het meteen op de telex. Hoe meer ogen op straat, hoe beter. Misschien zetten we het Opsporingsteam er morgenochtend ook nog op, mocht dat nodig zijn. Dat zijn net bloedhonden. We krijgen hem wel te pakken.'

Sampson knikte en liep zonder nog een woord te zeggen de straat in. Stel niet uit tot morgen wat je vandaag kunt doen.

'Hoe zei je ook weer dat hij heette?' vroeg hij toen ik hem had ingehaald.

'Stanislaw Wajda,' zei ik.

'Stanislaw…?'

'Wajda.'

'Laat maar. Ik leer het wel uit te spreken als we die klootzak te pakken hebben.'

HOOFDSTUK 90

Drie dagen lang kwamen we geen stap verder. Geen Talley. Geen Hennessey. Geen Wajda.

En toen gebeurde wat we het meest hadden gevreesd.

Op vrijdagochtend belde Sampson voor de derde keer die maand vroeg in de ochtend over een lijk. Er was weer een junk doodgeslagen, en er was weer van dat cijferkoeterwaals in zijn voorhoofd en zijn rug gekrast.

Maar één ding was anders, en dat ene veranderde alles.

'Stanislaws winkelwagentje stond naast het lijk,' vertelde Sampson. 'Tenminste, ik weet vrij zeker dat het zíjn winkelwagentje is. Ze zijn moeilijk van elkaar te onderscheiden, weet je?' Hij klonk schor. Ik wist niet hoeveel hij had geslapen sinds Wajda was verdwenen. 'Volgens mij is dit arme joch niet ouder dan een jaar of achttien, Alex.'

'Sampson, gaat het?' vroeg ik. 'Je klinkt niet als jezelf.'

'Ik hoop van wel.'

'Het is niet jouw schuld, John. Dat weet je toch?'

Hij was nog niet zover dat hij daar een antwoord op had. Hij zei alleen: 'Je hoeft hier niet naartoe te komen.'

'Ik kom wel,' zei ik. 'Natuurlijk kom ik.'

HOOFDSTUK 91

De aanblik van Farragut Square kwam me inmiddels zo bekend voor dat het me behoorlijk deprimeerde. Ik vraag me weleens af wat erger is: de schok van iets wat je voor het eerst ziet of de last van iets wat je te vaak hebt gezien.

'Het is zijn wagentje,' vertelde Sampson me. 'Kijk maar wat we net hebben gevonden.'

Hij hield een bewijsstukkenzakje op waar mijn eigen, beduimelde visitekaartje in zat. Het was alsof ik hard tegen mijn hoofd werd getrapt. Wat een zootje was dit.

'Er zit ook een duidelijk zichtbare bloedspetter op en er lag een sloophamer met een afgezaagde steel in. Dat zou het moordwapen kunnen zijn waar we naar zochten.'

'Ik heb hierover nagedacht,' zei ik. 'Er is een lange passage bij het Lindholm Center. Daar liggen altijd daklozen te slapen. Misschien zoekt hij zijn slachtoffers daar uit.'

'Misschien,' zei John. 'Maar waarom zou hij ze dan met zijn winkelwagentje hierheen rijden? Ik begrijp er niets van. Waarom K Street?'

Kyle Craigs imitatiemoord op Anjali Patel niet meegerekend waren alle drie de slachtoffers uit de getallenzaak op K Street achtergelaten, bij een kruising met een straat met een priemgetal: eerst de drieëntwintigste, toen de dertiende en nu de zeventiende straat. Na de eerste twee moorden was dat nog moeilijk te zien, maar met deze derde erbij viel het patroon op. Ik vroeg me af of ook de letter K een specifieke betekenis had in de wiskunde.

255

'Die man is gestoord, Sampson. Dat is het enige wat tot nog toe vaststaat. Het heeft denk ik niet veel zin om naar een motief te zoeken.'

'Naar hem ook niet,' zei John. Hij wees met zijn duim naar het winkelwagentje. 'Ik begrijp niet waarom hij zijn winkelwagentje heeft achtergelaten. Er is iets veranderd, Alex. Ik weet niet wat, maar ik heb zo'n gevoel dat we die man nooit meer terugzien. Volgens mij is hij verleden tijd.'

HOOFDSTUK 92

Stanislaw Wajda knipperde met zijn ogen. In eerste instantie zag hij bijna niets. Zijn gezichtsveld werd gevuld door een clair-obscur van vage vormen. Toen zag hij de dingen scherper. Een muur. Betonblokken. Een oude boiler op een betonnen vloer met scheuren erin.

Het laatste wat hij zich herinnerde, was dat hij in het park was geweest. Ja. De jongen. Was dat afgelopen nacht gebeurd?

'Hallo,' zei iemand. Stanislaw sprong overeind. Zijn hart bonsde in zijn keel en hij herinnerde zich opeens genoeg om bang te zijn.

Een man. Bruin haar. Hij kwam hem vaag bekend voor.

'Waar ben ik?' vroeg Stanislaw.

'In Washington.'

'Ik bedoel...'

'Ik weet wat je bedoelt.'

Zijn polsen zaten niet vast, besefte hij. Zijn enkels ook niet. Geen kettingen, geen boeien. Hij had bijna verwacht dat het anders zou zijn. Hij keek omlaag en zag dat hij zat, half in elkaar gezakt, in een oude houten stoel.

'Niet opstaan,' zei de man. 'Je bent nog steeds een beetje groggy.'

Hij had die man eerder gezien. In het opvangtehuis voor daklozen. Ja. Met twee zwarte rechercheurs. Ja. Ja.

'Bent u van de politie?' vroeg hij. 'Ben ik gearresteerd?'

De man grinnikte, wat vreemd was. 'Nee, professor. Of mag ik Stanislaw zeggen?'

De situatie waarin hij zich bevond mocht dan langzaam vaste vorm aan nemen, hij begreep er niets van.

'Hoe weet u hoe ik heet?' vroeg hij.

'Laten we zeggen dat ik uw werk bewonder,' zei de man. 'Ik heb gezien wat u afgelopen nacht op Farragut Square deed, en ik kan u vertellen dat het heel opwindend was. Ik heb er geen spijt van dat ik de moeite heb genomen daar helemaal naartoe te gaan.'

Wajda's maag draaide zich om. Hij had het gevoel dat hij zou overgeven. Of zelfs zou flauwvallen.

'O jezus...'

'U hoeft zich geen zorgen te maken. Bij mij is uw geheim veilig.' De man trok een stoel dichterbij en ging tegenover hem zitten. 'Maar vertel eens, hoe zit dat met die priemgetallen? Volgens de politierapporten hebben ze met de Riemann-hypothese te maken. Klopt dat?'

Dus hij wist het. Deze vreemde kerel wist wat hij had gedaan. Stanislaw voelde dat er tranen opwelden, ze verwarmden zijn ooghoeken.

'Ja,' zei hij. 'De Riemann-hypothese.'

'Maar waar gaat dat over? Vertel er eens wat meer over, professor. Ik wil het heel graag weten.'

Het was lang geleden dat hij nieuwsgierigheid in iemands ogen had gezien. Jaren en jaren. Een leven...

'Riemanns zèta-functie heeft, zoals u weet, nulpunten die in de zogenaamde kritieke strook liggen, een verzameling van alle complexe getallen met een reëel gedeelte tussen nul en één...'

'Nee,' zei de man. 'Luister goed. Waarom moordt u ervoor? Wat betekent het voor u?'

'Alles,' zei hij. 'Als je de Riemann-hypothese begrijpt, begrijp je wat oneindigheid is, snapt u? Als je je een raamwerk kunt voorstellen dat zo'n groot probleem kan bevatten...'

De man sloeg hem hard in zijn gezicht. 'Ik zit niet op zo'n stomme collegepreek te wachten. Ik wil weten waarom je die jongens vermoordt, en waarom op die manier. Kun je die vraag beantwoorden of niet? Je bent intelligent genoeg, het zou niet moeilijk moeten zijn...'

Plotseling besefte Stanislaw dat hij die vraag inderdaad kon beantwoorden. Ja. Ja. De vlucht was hem afgepakt. Er was alleen nog ruimte voor de waarheid.

'Deze jongens zijn dood beter af,' zei hij. 'Hier wacht hun niets dan ellende en lijden. Begrijpt u dat niet? Ziet u dat niet?'

'Jawel.'

'Ze zijn buiten het bereik van God gevallen, maar ik kan hen nog helpen. Ik geef hun datgene wat oneindig is,' zei hij. 'Ik geef hen terug aan God. Begrijpt u dat?'

'Ik denk het wel,' zei de man, en hij stond op. 'Dit is heel teleurstellend. We hadden...' Hij zweeg en glimlachte toen. 'Nou ja, het maakt ook niet uit wat we hadden kunnen doen. Bedankt, professor. Het was heel verhelderend.'

'Nee,' zei Stanislaw. 'U bedankt.'

Op dat moment zag hij de ijspriem. Hij volgde hem met zijn blik toen de man hem omhooghield, tot hij in het silhouet voor het peertje aan het plafond verdween. Toen stak Stanislaw zijn kin in de lucht en maakte hij zijn hals zo lang mogelijk, opdat de man niet zou missen.

HOOFDSTUK 93

Ik was er zo aan gewend op ieder uur van de dag gebeld te worden dat ik al naar mijn nachtkastje reikte toen ik besefte dat niet mijn maar Brees mobieltje ging. De wekker gaf 4.21 uur aan. Godnogantoe, wat nu weer?

'Met Stone,' hoorde ik haar in de duisternis zeggen. 'Met wie spreek ik?'

Ze zat meteen rechtop. Ze deed het bedlampje aan en met haar mobieltje tegen haar borst geklemd vormden haar lippen de woorden *'Het is Kyle Craig'.*

Nu schoot ook ik overeind. Toen ik de telefoon greep, hoorde ik Kyle nog aan de andere kant van de lijn praten.

'Bree, lieve schat? Ben je daar nog?'

Ik denk serieus dat ik hem zonder een spoor van twijfel had vermoord als hij voor me had gestaan. Maar ik bewaarde mijn kalmte zo goed en zo kwaad als dat ging. Ik hield mijn emoties onder controle.

'Kyle, Alex hier,' zei ik. 'Waag het niet dit nummer nog eens te bellen,' zei ik en ik hing op.

Brees mond viel letterlijk open. 'Wat was dat?' vroeg ze. 'Waarom deed je dat?'

'Om hem te laten weten dat het tot hier en niet verder is. Het bevalt me niet dat hij de regels steeds bepaalt.'

'Denk je dat hij nog terugbelt?'

'Ik weet alleen dat we iets meer slaap krijgen als hij het niet doet,' zei ik.

Er was iets veranderd bij mij. Ik zou zijn spelletje niet blijven meespelen. Dat kon ik niet.

Hoe dan ook, meteen daarna ging mijn eigen telefoon.

'Ja?' vroeg ik.

'Bree heeft mijn vraag niet beantwoord,' zei Kyle. 'Hoe het er met de bruiloft voor staat. Dat leek me meer iets voor haar dan voor jou.'

'Helemaal niet,' zei ik. 'Je wilde dreigender overkomen.'

Hij lachte, bijna alsof we geestverwanten waren. 'En, heeft het gewerkt?'

'Ik hang op, Kyle.'

'Wacht!' zei hij. 'Er is nog iets. Het is belangrijk – anders zou ik niet zo laat gebeld hebben.'

Ik vroeg niet wat het was. Sterker nog, ik wilde de verbinding verbreken, maar hij praatte door.

'Ik heb een cadeau voor je verloving,' zei hij. 'Soort van. Nu ik toch toesta dat je gaat trouwen en zo. Een kleinigheidje, om de werkdruk wat te verlichten, zodat jij je beter op dat knappe bruidje van je kunt concentreren.'

Ik kreeg een hartverzakking. Ik moest het weten. 'Kyle? Wat heb je gedaan?'

'Tja, als ik je dat vertelde, zou het geen verrassing meer zijn, nietwaar?' vroeg hij. '29th en K, de noordoosthoek. En als ik jou was, zou ik opschieten.'

HOOFDSTUK 94

Tegen zonsopgang hadden we een volledig strategisch team op de hoek van 29th en K neergezet. Ik achtte Kyle tot alles in staat, en hoewel het misschien dom was om naar een door hem aangewezen plek te gaan, kon ik zijn telefoontje niet zomaar negeren en namen we zo veel mogelijk voorzorgsmaatregelen.

De kruising lag aan de rand van Rock Creek Park, waar de Whitehurst Freeway overheen liep. We plaatsten agenten met MP5's op het viaduct en schermden de hoek af met gepantserde wagens van de Bijzondere Bijstandseenheid, om het zicht erop zo veel mogelijk te beperken.

We hadden een zenuwcentrum ingericht in een cafetaria op K, vanwaaruit de commandant van de Bijzondere Bijstandseenheid, Tom Ogilvy, radiocontact met zijn team onderhield. Sampson en ik luisterden via onze headsets mee.

Ambulances stonden paraat en de straat was bij de eerste zijstraten in beide richtingen afgezet met politiewagens. Alle manschappen waren met Kevlar en helmen uitgerust.

En misschien was het allemaal voor niets. Keek Kyle toe? Zou hij gewapend zijn? Of iets in zijn mouw verborgen houden? Of niets van dat alles? Ik denk dat hij me met precies die worsteling wilde opzadelen.

Hoe dan ook, het duurde niet lang voordat het team dat de zone als eerste in ging iets vond. Vijf minuten nadat ze vanaf 29th Street het park in waren geslopen, verstuurde hun leider een radiobericht.

'We hebben een lijk gevonden,' zei hij. 'Een blanke man van middelbare leeftijd. Hij zou een dakloze kunnen zijn.'

'Ga voorzichtig verder,' antwoordde Ogilvy. We hadden iedereen over de mogelijkheden hier gebrieft. 'Ik wil dat er goed rondom het lijk wordt gekeken voordat iemand het aanraakt. Team B, sta paraat.'

Er tikten drie stille secondes weg, toen kwam het sein 'alles veilig' – voor wat het waard was. Toen ik de cafetaria uit wilde lopen, pakte Sampson me bij mijn arm.

'Laat mij dit doen, Alex. Als Kyle hier is, wacht hij je misschien op.'

'Vergeet het maar,' zei ik tegen hem. 'Trouwens, als Kyle het op mij heeft gemunt, doet hij het *face to face*, niet op afstand.'

'O ja, omdat jij alles van maniakken weet wat er van maniakken te weten valt, zeker?' vroeg hij.

'Dit weet ik in ieder geval wel,' zei ik en liep de deur uit.

Nog voor we het lijk in het park waren genaderd, herkende ik Stanislaw Wajda's smerige ribfluwelen jas van de dag ervoor. Hij lag op zijn zij, onder het struikgewas, zoals zijn slachtoffers eerder.

Er waren geen cijfers in zijn huid gekrast. De enige zichtbare wond was net zo'n enkelvoudig gaatje in de keel als die we bij Anjali Patel hadden gezien.

Een spoor van opgedroogd bloed liep van zijn nek in zijn wollen shirt. Dat betekende waarschijnlijk dat hij op het moment dat hij werd gestoken, had gezeten. Op het moment dat hij was gestorven waarschijnlijk ook.

We hadden de vingerafdrukken van het winkelwagentje en de sloophamer van Farragut Square al laten onderzoeken. Het stond buiten kijf dat Wajda onze cijfermoordenaar was. Maar ondanks datgene wat hij bij zijn leven had gedaan, had ik medelijden met hem.

'Wat is dit?' Sampson wees naar iets in Wajda's gebalde vuist. Ik trok handschoenen aan, knielde en haalde het uit zijn dichtgeknepen hand.

Het was een wenskaartje, zo een als je wel met bloemen mee-stuurt. Op de voorkant stond een plaatje van een bruidstaart met een Afro-Amerikaans bruidspaar erop.

'Het is mijn verlovingscadeau,' zei ik. Ik werd een beetje misselijk.

Ik opende de kaart en herkende Kyles precieze blokletters onmiddellijk.

VOOR ALEX,
GRAAG GEDAAN.
K.C.

HOOFDSTUK 95

Nadat Mitch en hij zich vijf dagen lang gedeisd hadden gehouden in de bossen van West Virginia, had Denny het telefoontje gekregen waarop hij had gewacht. Vervolgens had hij nog een paar dagen nodig gehad om in DC op verkenning uit te gaan. Maar nu zou het niet lang meer duren, hooguit een paar uur. Nog even en hij was een vrij man. Een heel ríjk vrij man.

De deur achter hem sloeg open terwijl ze op het dak van het National Building Museum stonden.

Hij draaide zich om, en Mitch stak zijn hand op.

'Mijn schuld,' zei hij.

'Doe die deur dicht en schiet op,' zei Denny onaardiger dan zijn bedoeling was geweest.

Niet dat het lawaai er ook maar iets toe deed. Het architectuurmuseum was 's avonds gesloten; het dichtstbijzijnde gevaar bestond uit een of andere knorrepot die tien verdiepingen lager in zijn beveiligingsruimte op de begane grond naar een griezelfilm op zijn laptop zat te kijken. Het probleem was eerder dat hij een paar nachtjes te veel elleboog aan elleboog met Mitch in de oude Subaru had doorgebracht, op blikvoer had geleefd en naar zijn gekakel over de 'missie' had moeten luisteren.

Hij schudde zijn ergernis van zich af en liep naar de zuidwesthoek van het dak, vanwaar hij omlaag keek.

Op F Street was het rustig voor een vrijdag. Er stond een licht briesje waarin een belofte voor regen school, maar verder was alles rustig. Over een kwartier, twintig minuten zouden de eerste limo's stoppen voor de Sidney Harman Hall.

Mitch kwam dichterbij en bleef stilletjes achter hem staan terwijl Denny het canvas grondzeil uitvouwde. Toen begon hij zijn uitrusting uit te pakken en de M-110 in elkaar te zetten.

'Ben je kwaad op me of zo, Denny?' vroeg hij ten slotte. 'Is er iets?'

'Welnee, man,' zei Denny onmiddellijk. Het had geen enkele zin om hem die avond op te fokken. Juist die avond niet. 'Niets aan de hand. Ik heb gewoon ontzettend veel zin om dit klusje te klaren, snap je? Ik ben een beetje overenthousiast. Míjn schuld.'

Dat leek voldoende. Mitch knikte en deed wat hem te doen stond. Hij zette de driepoot uit, plaatste het geweer op de rand en hield zijn oog voor de telescoop. Toen hij de kolf tegen zijn wang voelde, kon hij met afstemmen beginnen.

'We werken vanavond met een wat groter schootsveld,' zei Denny nu op vriendelijke en ontspannen toon. 'De auto's stoppen aan weerszijden van de straat.'

Mitch liet zijn blik een paar keer naar links en naar rechts gaan, en maakte zich de stoep voor het theater eigen. 'Je zei toch dat die rijke stinkerds rechters waren?'

'Dat klopt,' zei Denny. 'Twee van de machtigste klootzakken van het land.'

'Wat hebben ze gedaan?'

'Weet je wat een proactieve rechter is?'

'Niet echt. Wat is dat dan?'

'Laten we het er maar op houden dat de goede oude vs van A zónder hen veel beter af zijn,' zei Denny. 'Ik speur ze op en jij legt ze neer, Mitchie, maar het zal snel gaan. Je moet er klaar voor zijn, oké? Eén, twee… en we zijn weg.'

Mitch' houding veranderde niet, maar zijn mondhoeken krulden een fractie op. Dichter bij een vrijmoedig glimlachje had Denny hem al een tijdje niet meer zien komen.

'Maak je geen zorgen, Denny,' zei hij. 'Ik mis niet.'

HOOFDSTUK 96

Om halfacht stond er een lange rij zwarte auto's voor het cultuurcentrum op F Street.

Die avond vond er de jaarlijkse benefietvoorstelling 'Will on the Hill' plaats, waarmee geld voor kunstonderwijs in DC werd ingezameld. Een twintigtal kopstukken van Capitol Hill zou een speciaal op de politieke situatie toegesneden versie van 'Will' Shakespeares *Twelfth Night* ten gehore geven voor een min of meer homogeen publiek: congresleden, senatoren, mensen die in het Witte Huis werkten en, waarschijnlijk, half K Street.

Denny keek door zijn telescoop naar de straat. 'Er zijn vanavond genoeg vossen in het kippenhok, waar of niet?'

'Ik weet niet,' zei Mitch, die door zijn vizier meekeek. 'Ik had gedacht dat er een heleboel beroemdheden zouden zijn. Ik herken niemand, daar beneden.'

'Ach,' zei Denny, 'je moet het zo zien: jij bent nu zelf een soort beroemdheid, maar er is ook niemand die weet hoe jíj eruitziet.'

Mitch glimlachte. 'Daar heb je een punt.'

Rahm Emanuel en zijn vrouw arriveerden. Even daarvoor waren de twee fractievoorzitters van de senaat samen aangekomen; er moest controversiële wetgeving worden aangenomen en ze maakten van de gelegenheid gebruik om samen op de foto te gaan.

Ze stapten een voor een uit hun auto en liepen over de stoep van rode klinkers naar de glazen cantilever boven de ingang van het theater. Ze waren in een stap of zes verdwenen. Het zou erom spannen.

Pas om tien over acht zag Denny de auto waarop hij had gewacht. De korte Mercedes-limousine stopte langs het trottoir.

De chauffeur stapte uit en liep om de auto heen om het portier open te doen, en edelachtbare Cornelia Summers kwam in beeld.

'Daar gaan we, Mitch. Op tien uur. Lange blauwe jurk, ze stapt nu uit de Mercedes.'

Achter haar verscheen rechter George Ponti. Ze bleven lang genoeg staan om ongemakkelijk naar de celebritywatchers en de pers achter het politielint te zwaaien. Zelfs van die afstand kon Denny zien dat die twee daar niet op hun gemak waren.

'Nummer twee, in smoking, met grijs haar.'

Mitch had zijn stand al aangepast. 'Heb ik.'

'Schutter gereed?'

Summers nam Ponti bij de arm, en ze draaiden zich om om naar binnen te gaan, ze waren maar een paar stappen van de ingang verwijderd.

'Schutter gereed,' zei Mitch.

'Schieten maar!'

De m-110 maakte de vertrouwde, scherpe knal en de kogel vloog met 914,40 meter per seconde door de suppressor. Op praktisch hetzelfde moment zakte Cornelia Summers in elkaar, met een kleine rode bloem boven haar linkeroor.

Rechter Ponti struikelde toen ze van zijn arm af gleed, en het tweede schot miste zijn doel. Een glazen deur op een meter of drie van het hoofd van de man spatte in miljoenen stukjes uiteen.

'Nog een keer,' zei Denny. 'Nu.'

De hooggerechtshofrechter had zich omgedraaid en keerde terug naar de auto. Zijn hand lag al op het open portier.

'Doe het, Mitchie.'

'Ik heb hem,' zei Mitch, en er klonk nog een scherpe knal.

Dit keer ging Ponti wel neer, en de straat voor het Harman Center veranderde in één groot pandemonium.

HOOFDSTUK 97

Denny keek omlaag naar de straat terwijl Mitch het wapen demonteerde. Het was gaan regenen, maar dat weerhield de honderden mensen in hun prachtige avondkleding er niet van als kakkerlakken over straat te kruipen.

'Wat gebeurt er, Denny?' Mitch had de telescoop, de geweerlade en het magazijn ingepakt.

Denny gebaarde naar Mitch. 'Kom eens. Het is weleens leuk om dit te zien. Het is ongelooflijk wat je hebt aangericht.'

Mitch leek door twijfel te worden verscheurd. Normaal gesproken loste hij zijn schoten, pakte zijn spullen in en vertrok, maar Denny gebaarde hem nog een keer te komen en hij zette de spullen neer en liep gebukt terug naar de richel. Toen keek hij omlaag en overzag zijn werk.

Het Harman Center zag eruit als een gekkenhuis met een glazen wand. De eerste patrouillewagens reden met flitslichten aan de straat in, en de enige mensen die daar beneden níet bewogen waren de twee lijken die op het trottoir lagen.

'Weet je hoe je dat noemt?' vroeg Denny. '*Missie volbracht.* Beter had het niet gekund.'

Mitch schudde zijn hoofd. 'Ik heb er een potje van gemaakt, Denny. Dat tweede schot...'

'Dat maakt niets uit. Neem dit nou maar in je op, en geniet ervan. Dan maak ik alles klaar voor vertrek.'

Denny deed een stap naar achteren en begon de gespen op de zak van Mitch vast te maken. Ondertussen keek Mitch als aan de grond genageld naar het tafereel in de diepte beneden hem.

'Niet slecht voor één avondje werk, hè, Mitchie?'

'Inderdaad,' zei Mitch binnensmonds, meer tegen zichzelf dan tegen Denny. 'Best gaaf, eigenlijk.'

'En wie zijn de helden in dit verhaal, makker?'

'Wij, Denny.'

'Zo is dat. Echte Amerikaanse helden, in levenden lijve. Dat kan niemand je ooit meer afnemen, wat er ook gebeurt. Begrepen?'

Mitch antwoordde niet eens meer, hij knikte alleen maar. Het leek wel of hij zijn ogen, nu hij er een glimp van had opgevangen, niet meer van het tafereel kon losmaken.

Een seconde later was Mitch dood – er zat een kogel in zijn hoofd.

De stakker had Denny's gedempte Walther waarschijnlijk niet eens horen afgaan, zo snel was het gegaan. Maar goed ook. Het was soms een godvergeten kutberoep; het minste wat Denny voor hem had kunnen doen, was zorgen dat het snel en professioneel gebeurde.

'Sorry, Mitchie,' zei hij. 'Ik moest wel.'

Toen raapte hij Mitch' zak op, liet de rest voor wat het was en liep naar de trap zonder verder nog naar zijn derde moord van die nacht om te kijken.

HOOFDSTUK 98

Ik had in het Daly-gebouw zitten werken toen het eerste onthutsende bericht binnenkwam, en deze keer was ik vrijwel meteen na de schoten ter plaatse. Ik deed mijn uiterste best de chaos op straat te negeren en nog niet aan de slachtoffers te denken, maar me te concentreren op dat ene wat nu het essentieelst was.

Waar waren de schoten vandaan gekomen? Zouden ze deze keer wel een fout hebben gemaakt?

Op de stoep stond een brigadier van de MPD die met eigen ogen had gezien dat Cornelia Summers aan George Ponti's linkerarm naar de ingang van het Harman Center was gelopen en als eerste was neergegaan. Twee rechters van het hooggerechtshof; zelfs op dat moment kon ik het nauwelijks geloven.

Ik keek naar links, naar het westen, richting F Street. Het Jackson-Graham-gebouw was een mogelijkheid, maar als ik de schutter was geweest, zou ik voor het National Building Museum hebben gekozen. Dat stond verderop in de straat, verschafte de schutters een vrij schootsveld en had een plat dak met meer dan genoeg plekken om dekking te vinden.

'Regel nog drie man in uniform voor me,' zei ik tegen de brigadier. 'Nu meteen. Ik ga naar dat gebouw daar, het National.'

Niet veel later stonden we op de voordeuren van het architectuurmuseum te bonzen. Een bewaker, die zich dood geschrokken was, kwam aanrennen om open te doen. Dit viel onder de jurisdictie van de Federal Protective Services, maar ik had gehoord dat het meer dan een halfuur zou duren voordat

271

ze met een team ter plekke konden zijn.

'We moeten naar het dak,' zei ik tegen de bewaker. Op zijn naamkaartje stond DAVID HALE. 'Hoe komen we daar het snelst?'

Ik liet één agent achter die ervoor moest zorgen dat niemand het gebouw uit kon en liep met de andere agenten achter Hale aan door de centrale hal van het museum. Het was een enorme, open zaal, met Korinthische zuilen die doorliepen tot aan het plafond, dat meerdere verdiepingen hoog was. Daarboven moesten we zijn.

Hale bracht ons naar een nooduitgang in de verre hoek. 'Die gaat helemaal naar boven,' zei hij. 'Het zijn vier trappen.'

We lieten hem achter en renden de trappen op, in formatie, waarbij we elkaar om de beurt inhaalden, trap voor trap, met zaklampen en getrokken wapens.

Helemaal boven kwamen we bij een branduitgang.

Het alarm had moeten afgaan, maar het metalen omhulsel lag op de grond en het mechanisme zelf hing aan een paar elektriciteitsdraden.

Mijn hart ging al tekeer van het rennen, maar deed er nu nog een tandje bij. We waren op de goede plek.

Toen ik de deur opendeed, lag er een uitgestrekt, leeg dak voor me, met daarachter het dak van de Rekenkamer op G Street. Het regende nu hard, maar je kon de sirenes en het geschreeuw bij het Harman Center nog duidelijk horen.

Ik gebaarde een agent naar rechts te gaan en de andere mij te volgen, in de richting van het rumoer op straat.

We liepen om de zuidwesthoek heen, waar een rij uitstekende dakramen ons het zicht ontnam.

Bij het verst weg gelegen raam zag ik een schaduw – het was een zak met materiaal erin, of een gewone vuilniszak – en ik wees de agent naast me erop. Ik wist niet eens hoe hij heette.

We liepen voorzichtig over het dak, onze zaklampen uit, voor de zekerheid gebukt.

Toen we dichtbij genoeg waren, zag ik dat er ook nog een

mens was. Hij zat met zijn gezicht naar het Harman Center, op zijn knieën, en bewoog zich niet.

Ik richtte mijn Glock. 'Politie! Verroer je niet!' Ik mikte op zijn benen, maar dat was niet nodig. Toen de andere agent met zijn zaklamp op hem scheen, zagen we duidelijk dat hij een door de regen schoongespoeld zwart gat in zijn achterhoofd had. Zijn lichaam hing tegen de hoek van het halfhoge muurtje dat om het dak heen liep, en werd daardoor overeind gehouden.

Eén blik op zijn gezicht was voldoende om er Mitch Talley in te herkennen. Plotseling stond ik op mijn benen te trillen. Het was te veel van het goede, dat was het echt. Mitch Talley was dood? Hoe was dat gebeurd?

'Jezus.' De agent die bij me was, boog voorover om het beter te kunnen zien. 'Wat is dat? Een 9-millimeter?'

'Meld het,' zei ik tegen hem. 'Zorg voor een opsporingsbevel voor Steven Hennessey, alias Denny Humboldt. Hij kan niet ver zijn. Ik bel het CIC. Deze hele buurt moet vergrendeld worden – en wel nu meteen. Elke seconde telt.'

Als mijn intuïtie me niet in de steek liet, had Hennessey om welke reden dan ook net een eind gemaakt aan het patriottistische scherpschutterteam.

Als ik Hennessey was, zou ik maken dat ik wegkwam. Ik zou al uit Washington zijn weggeweest, en ik zou nooit meer hebben omgekeken.

Maar ik was Hennessey niet, of wel soms?

HOOFDSTUK 99

Denny reed uren rond. Hij bleef ten noorden van DC en stopte bij verschillende drogisterijen in Maryland. Hij kocht een honkbalpetje van de Nationals, een scheersetje, een niet zo sterke leesbril en een pakje walnootbruine haarverf. Dat moest volstaan.

Hij bezocht de wc's van een Sunoco-benzinestation in Chevy Chase en reed terug naar de stad. Hij parkeerde op Logan Circle en liep twee zijstraten verder naar Vermont Avenue, waar de vertrouwde zwarte Town Car wachtte.

Denny ging op de achterbank zitten en zag dat Zachary ongewoon zorgeloos naar hem glimlachte.

'Kijk eens aan,' zei hij. 'Helemaal klaar om in de houtbewerking te verdwijnen. Ik wed dat je er nog goed in bent ook.'

'Wat jij wil,' zei Denny. 'Laten we dit afronden. Zodat ik kan verdwijnen, zoals jij dat noemt.'

'Als ik de nieuwsuitzendingen mag geloven, is alles goed verlopen.'

'Klopt.'

Zachary bleef zitten waar hij zat. 'Ze zeiden niets over een medeplichtige. Niets over Mitch.'

'Het zou me ook verbaasd hebben als ze dat wel hadden gedaan,' zei Denny. 'De man die het onderzoek leidt, Cross, houdt zijn kaarten graag gedekt. Maar geloof mij, dat is opgelost. En verder wil ik niet meer over Mitch praten. Hij heeft zijn werk goed gedaan.'

De contactpersoon nam Denny nog even onderzoekend op.

Ten slotte boog hij voorover naar de stoel voor hem en pakte het zakje van de bestuurder aan. Dit keer leek alles in orde, maar voor de zekerheid maakte Denny het zakje toch even open.

Zachary leunde achterover en leek daadwerkelijk enigszins te ontspannen. 'Vertel eens, Denny. Wat ga je met al dat geld doen? Afgezien van een nieuwe naam aanschaffen, bedoel ik.'

Denny beantwoordde zijn glimlach. 'Om te beginnen berg ik het ergens veilig op,' zei hij en stopte het zakje in zijn jaszak, alsof hij wilde illustreren wat hij bedoelde. 'Daarna...'

De rest van de zin sprak hij niet uit. Hij vuurde zonder zijn Walther uit zijn zak te halen en trof de chauffeur in het achterhoofd. Er spoot een fontein van bloed en grijze massa tegen de voorruit.

Het tweede schot rekende met Zachary af; hij schoot hem precies door dat pretentieuze hoornen brilletje van hem. Hij had niet eens tijd gehad om zijn hand op de hendel van het portier te leggen. Het was in een oogwenk voorbij, en het waren waarschijnlijk de twee meest bevredigende schoten die Denny ooit had gelost.

Behalve dan dat... hij Denny niet meer was. Dat was verleden tijd. En ook dat gaf hem een heerlijk gevoel. Dat hij dit nu allemaal achter zich kon laten.

Maar voor een feestje had hij nu geen tijd. Het geluid van de motor was nog maar net weggestorven toen hij weer op straat liep om te doen waar hij het best in was. Verder blijven gaan.

HOOFDSTUK 100

De vierentwintig uur na de dubbelmoord voor het Harman Center werd er powerplay gespeeld zoals ik zelden in Washington had meegemaakt. Er vonden de hele nacht verkeerscontroles plaats, de afdeling Bijzondere Zaken stuurde beide eenheden de straat op en de NSID kreeg opdracht alle niet-essentiële zaken te laten wachten. En dat was dan alleen nog binnen de MPD.

Er werden ook eenheden van Capitol Police, de ATF en zelfs de Secret Service op de zaak gezet.

Tegen de ochtend was de jacht op Steven Hennessey niet langer regionaal, maar nationaal. De FBI had zich volledig op de zaak gestort en zocht overal waar de FBI kon zoeken. Ook de CIA was er nu bij betrokken.

De draagwijdte van de moorden begon zich steeds helderder af te tekenen. De rechters Summers en Ponti hadden de officieuze linkervleugel van het hooggerechtshof gevormd en waren geliefd bij het halve land en *De vossen in het kippenhok.*

De MPD-bespreking van de zaak, die middag, leek wel een parade van zombies. Niemand had veel geslapen en de spanning was tastbaar.

Hoofdcommissaris Perkins zat de bijeenkomst voor. Hij hield geen inleiding.

'Wat hebben we tot zover?' vroeg hij recht-toe recht-aan. Bijna de voltallige leiding van het departement was aanwezig. Elke stoel was bezet en langs de muren stonden mensen van de ene voet op de andere te wippen.

'Zeg het maar,' zei hij. 'Wie dan ook.'

'We krijgen een stortvloed van reacties via het speciale telefoonnummer en de website,' meldde een van de districtscommandanten, Gerry Hockney. 'Iedereen weet ervan – althans, dat denken ze. Hennessey werkt voor de overheid. Hij houdt zich schuil in een loods in Ohio. Hij zit in Florida, of in Toronto...'

Perkins onderbrak hem. 'Iets plausibels? Ik wil weten wat we hebben, ik heb geen behoefte aan nutteloze bullshit.'

'Het is te vroeg om daar iets over te zeggen en al ergens waarde aan toe te schrijven. We worden overspoeld.'

'Nee dus. Wie verder? Alex?'

Ik stak mijn hand op, zodat hij kon zien waar ik zat. 'We wachten nog op het wapenrapport van de dubbele moord die vannacht op Vermont Avenue is gepleegd: twee doodgeschoten onbekenden in een auto, ze hadden wel geld op zak, maar geen identiteitspapieren.

We weten dat het een 9-millimeter was, maar we weten nog niet of ze met het hetzelfde wapen zijn vermoord als Mitch Talley.'

Er ontstond geroezemoes, en ik moest schreeuwen om de aandacht terug te krijgen.

'Mocht dat inderdaad het geval zijn,' vervolgde ik, 'dan kan ik op dit moment alleen zeggen dat Hennessey ergens tussen twaalf en vier uur vannacht in de stad moet zijn geweest.'

'En dat betekent dat hij op dit moment overal kan zijn,' zei Sampson, die het voor me samenvatte. 'En dat wil zeggen dat we deze bespreking moeten afronden en naar hem op zoek moeten gaan.'

'Denken jullie dat Hennessey voor die twee dode mannen in die auto werkte?' vroeg iemand desondanks.

'Weet ik niet,' zei ik. 'We zijn nog steeds bezig te achterhalen wie ze waren, maar het ziet ernaar uit dat hij grote schoonmaak houdt. Of zijn werk erop zit, is nog niet duidelijk.'

Een inspecteur op de eerste rij vroeg: 'Bedoel je dat zijn grote schoonmaak erop zit, of het moorden?'

Het was logisch dat er vragen werden gesteld, maar ze begonnen me op mijn zenuwen te werken. Ik haalde mijn schouders op en hield mijn handen in de lucht. 'Zeg jij het maar.'

'Dus met andere woorden,' greep hoofdcommissaris Perkins in, 'we zijn bijna vierentwintig uur verder en we weten nog minder dan we voor de moorden wisten, klopt dat?'

Niemand wilde die vraag beantwoorden. Het was lang stil.

'Daar komt het wel op neer, ja,' zei ik ten slotte.

HOOFDSTUK 101

Er gingen twee zenuwslopende stille dagen voorbij waarin we geen enkele vooruitgang boekten en we geen enkel teken van Steven Hennessey of iemand die hem kende kregen. En toen was er beweging bij de FBI. Max Siegel belde me zelf.

'We hebben iets via internet binnengekregen,' zei hij. 'Anoniem, maar het lijkt te kloppen. Een man die zich voor Frances Moulton uitgeeft, schijnt van top tot teen aan het signalement van Hennessey te voldoen. Hij heeft een appartement aan 12th Street, maar de afgelopen twee maanden heeft niemand hem gezien. Tot iemand hem vanmorgen de deur uit zag komen.'

'Iemand?' vroeg ik. 'Wie?'

'De anonieme tipgever,' zei hij. 'Maar de conciërge van het gebouw heeft zijn verhaal bevestigd. Hij heeft die Moulton in geen maanden gezien. Maar ik heb hem een foto van Hennessey voorgelegd, en hij herkende hem.'

Of dit was een grote stap, of het voelde alleen maar zo doordat we tot dan toe zo weinig resultaat hadden geboekt. Als je wanhopig bent, is het moeilijk te zeggen wat het verschil is.

'Wat ben je van plan?' vroeg ik. Wat het ook mocht voorstellen, het was Siegels spoor, niet dat van ons.

'Ik dacht dat jij en ik die plek maar eens even in de gaten moesten gaan houden, kijken wat er gebeurt,' zei hij. 'Als jij het doet, doe ik het ook. Zie je? Ik kan veranderen.'

Het was niet het antwoord dat ik had verwacht, en de stilte die ik liet vallen sprak voor zich.

'Ga nou niet lopen zieken,' zei Siegel. 'Ik probeer aardig te doen.'

Eigenlijk leek hij dat ook te zijn. Keek ik ernaar uit de komende acht of meer uur met Max Siegel in één auto te zitten? Niet echt. Maar wat belangrijker was, ik wilde geen seconde meer in de periferie van dit onderzoek doorbrengen.

'Goed,' zei ik. 'Ik doe mee. Waar zien we elkaar?'

HOOFDSTUK 102

Ik had zelfs koffie bij me.

Siegel ook, dus aan cafeïne geen gebrek. We zaten aan de oostkant van 12th Street tussen M en N, in een Crown Vic van de FBI. Het was een smal straatje met aan weerszijden bomen. Hier en daar werd verbouwd, maar niet in het Midlands-gebouw, het gebouw waarin Frances Moulton woonde en, als we op het goede spoor zaten, ook Steven Hennessey zich ophield.

Het appartement in kwestie bevond zich op de achtste van tien verdiepingen, en had twee grote ramen aan de straatkant. Beide ramen waren donker. Max en ik installeerden ons voor de lange termijn.

Nadat we alles wat er over de zaak te zeggen was besproken hadden en er lange stiltes vielen, werd de sfeer ongemakkelijk. Maar uiteindelijk kwam het gesprek weer op gang. Siegel gaf me een voorzetje; hij stelde zo'n vraag die die gasten van de FBI altijd stellen als ze niets beters weten te zeggen.

'Waarom ben jij eigenlijk bij de politie gegaan?' vroeg hij. 'Als je het niet erg vindt dat ik het vraag…'

Ik glimlachte in mezelf. Hij deed wel erg zijn best om maatjes te worden.

'Hollywood was geen doorslaand succes. En de NBA ook niet,' zei ik zonder een spier te vertrekken. 'En jij?'

'Ach, je weet wel. Die exotische reizen. En de prettige werktijden.'

Voor het eerst wist hij me aan het lachen te krijgen. Voordat ik kwam, had ik besloten dat ik niet de hele nacht een hekel aan hem zou hebben. Anders zou het een martelgang worden.

'Eén ding kan ik je wel vertellen,' zei hij. 'Als het anders was gelopen, had ik, denk ik, ook best een goede schurk kunnen zijn.'

'Laat me raden,' zei ik. 'Je hebt de perfecte moord in je hoofd.'

'Denk jij daar dan nooit over na?' vroeg Siegel.

'Geen commentaar.' Ik wipte de deksel van mijn tweede koffie. 'Ik moet zeggen, de meeste smerissen hebben er een. Of dan toch in ieder geval de perfecte misdaad.'

Na weer een lange stilte vroeg hij: 'Oké, en deze dan: stel dat je iemand te grazen kon nemen, iemand die het echt verdiende, en je wist zeker dat je ermee weg zou komen; zou je de verleiding dan kunnen weerstaan?'

'Ja zeker,' zei ik. 'Anders begeef ik me op een hellend vlak. Daar heb ik over nagedacht.'

'Kom op.' Siegel lachte en leunde tegen het portier om me beter aan te kunnen kijken. 'Stel je voor: jij en Kyle Craig, alleen in een donker steegje. Geen getuigen. Hij heeft geen munitie meer en jij hebt je Glock. En dan wou jij vertellen dat je niet eerst schiet en dan pas vragen stelt?'

'Precies,' zei ik. Dat hij over Kyle begon was wel een beetje vreemd, maar ik liet het voor wat het was. 'Ik zou het misschien wel willen, maar ik zou het niet doen. Ik zou hem arresteren. Ik zou hem met plezier naar de extra beveiligde inrichting in Florence terugbrengen.'

Hij keek me grijnzend aan, alsof hij verwachtte dat ik uit de plooi zou raken.

'Echt waar?' vroeg hij.

'Echt waar.'

'Ik weet niet of ik je geloof.'

Ik haalde mijn schouders op. 'Wat wil je dat ik zeg?'

'Dat je een mens bent. Kom op, Alex. Je houdt het in dit vak niet vol als je niet af en toe een klein beetje over de schreef gaat.'

'Dat klopt,' zei ik. 'Dat heb ik ook gedaan. Ik zeg alleen dat ik de trekker niet zou overhalen.' Of dat echt waar was, wist ik niet zeker. Ik wilde het alleen niet met Siegel bespreken.

'Interessant,' zei hij en hij draaide weer terug, zodat hij het Midlands-gebouw weer in het oog kon houden. 'Heel interessant.'

HOOFDSTUK 103

Alex loog of het gedrukt stond. Hij kon goed liegen, maar hij loog echt. Als hij ook maar het geringste vermoeden had gehad dat hij nu naast Kyle Craig zat, zou hij onmiddellijk zijn Glock hebben getrokken en zou er een fractie van een seconde later één kogel minder in zijn magazijn hebben gezeten.

Maar dat was nou juist de grap, nietwaar? Cross had geen benul. Dat stond buiten kijf. Was het niet kostelijk? Ja, het was kostelijk.

Kyle nam een slokje koffie. 'Daar draait dit toch allemaal om?' vroeg hij zomaar. Geinig – Siegels accent en stembuiging waren hem nu vertrouwder dan die van hemzelf.

'Wat bedoel je?' vroeg Cross.

'Dat hele gedoe over de vossen in het kippenhok. Goed en kwaad, alles door elkaar. De grens tussen goed en kwaad is niet meer zo duidelijk.'

'Dat is waar,' zei Cross. 'Maar dat geldt voor de FBI meer dan voor de politie.'

'Ik zie het overal,' zei Kyle. 'Het oneerlijke congreslid. De hebzuchtige CEO die niet genoeg heeft aan zijn eerste tien miljoen. En wat dacht je van terreurcellen. Wat is het verschil? Ze zijn overal, ze staan voor onze neus, het zijn onze buren. Het lijkt wel alsof de wereld vroeger zwart-wit was, terwijl hij nu, als je je ogen een beetje dichtknijpt, helemaal grijs is geworden.'

Alex staarde hem aan. Hij keek hem recht in de ogen. Had hij het eindelijk door?

'Zeg, Max, heb je het nu over Steven Hennessey? Of over jezelf?'

'Uh-uh,' antwoordde Kyle-Max en schudde zijn vinger naar hem. 'Ik had niet eens door dat jullie jullie hoeden hebben geruild. Heel listig, doctor Cross.'

En Alex lachte erom. Het was verbazingwekkend. Eerst had Kyle ervoor gezorgd dat Cross Max Siegel was gaan haten, en nu was hij hard op weg hem om te toveren in een loyale fan van de slimme maar onhebbelijke agent.

Misschien was het Siegel, als hij zo was doorgegaan, nog wel gelukt het tot een uitnodiging voor een etentje bij hem thuis te schoppen. Maar toen gebeurde er iets waar zelfs Kyle geen rekening mee had gehouden.

Er vloog een kogel door de voorruit.

HOOFDSTUK 104

Siegel en ik zaten tegelijkertijd op onze hurken op de stoep achter onze portiers. Ik hoorde dat het volgende schot de grille raakte, daarna boorde een kogel zich met die ziekmakende tik in Siegels kant van de auto.

'Max?'

'Ik ben in orde. Niet geraakt.'

'Waar komen de schoten vandaan?'

Ik had mijn Glock getrokken, maar ik had geen idee waar ik op moest richten. Met mijn andere hand belde ik 911 terwijl mijn ogen de gebouwen om me heen afspeurden.

'Van een van die twee,' zei Max terwijl hij naar het Midlands-gebouw en het gebouw ernaast wees.

Ik keek weer omhoog naar Hennesseys appartement – nog steeds donker, de ramen gesloten. Trouwens, hij had meer met daken, toch?

'Hallo? Is daar iemand?' zei iemand in de telefoon. 'Dit is de alarmcentrale. Hoort u mij?'

'Met rechercheur Cross van de MPD. Er wordt geschoten op 12th Street NW 1221. Ik heb onmiddellijk assistentie nodig van alle beschikbare eenheden!'

Er volgden nog twee schoten, en er gingen een bloempot en een raam op de eerste verdieping vlak achter me aan diggelen, de een vlak na de ander. Ergens in een appartement werd gegild.

'Politie!' schreeuwde ik naar wie het maar kon horen. 'Zoek dekking!' Er waren zeker vijf mensen op de stoep, en die zochten op handen en voeten een veilig heenkomen, maar we konden niet verhinderen dat er nog meer mensen zouden komen aanlopen.

'We moeten iets doen,' zei Max. 'We kunnen hier niet zo blijven liggen. Dan vallen er slachtoffers.'

Ik keek over de voorstoelen heen naar Max. 'Als hij een telescoop gebruikt, en we zijn snel, houdt hij ons misschien niet bij.'

'In ieder geval niet ons allebei,' zei hij grimmig. 'Neem jij het Midlands-gebouw. Ik neem het gebouw ernaast.'

Hiermee gingen we volledig buiten ons boekje; we zouden op versterking moeten wachten. Maar het risico dat er burgerslachtoffers zouden vallen was zo groot dat we uitstel onverantwoord vonden.

Siegel kwam zonder er verder nog een woord aan vuil te maken uit zijn hurkhouding en sprintte de straat over. Ik had niet gedacht dat hij dat in zich had.

Ik telde tot drie om ervoor te zorgen dat er voldoende ruimte tussen ons zou zijn en rende toen met mijn hoofd omlaag naar het Midlands-gebouw. Achter me ging weer een raam aan diggelen, maar dat besefte ik nauwelijks. Ik concentreerde me volledig op de voordeur van het appartementencomplex, hoe ik naar binnen kon gaan en Hennessey te pakken kon krijgen.

HOOFDSTUK 105

Eenmaal binnen nam ik de trap. Er waren tien verdiepingen, maar mijn conditie was redelijk goed. De adrenaline hielp ook.

Even later stond ik op het dak van het Midlands-gebouw. Daar had ik een vreemd déjà vu – de situatie leek sprekend op die van de avond ervoor, op het dak van het museum.

Ik zwaaide mijn Glock naar links en naar rechts – niets. Er stond ook niemand achter de deur.

Ik had me via een wasruimte toegang tot het dak verschaft, en de muren daarvan ontnamen me het zicht op de kant van het gebouw waar 12th Street lag. En dat zou de kant moeten zijn vanwaar Hennessey had geschoten.

In de verte loeiden sirenes; met een beetje geluk kwamen ze mijn kant op.

Ik drukte mijn rug tegen de muur en schoof langzaam naar de hoek, mijn wapen in de aanslag.

De straatzijde van het dak zag er, hoewel zwak verlicht, verlaten uit. Er stonden een paar inklapbare tuinstoelen en er lag een olievat op zijn kant.

Geen spoor van Hennessey.

Ik kwam bij de rand aan en keek eroverheen. Beneden, op 12th Street, was het rustig. Afgezien van de FBI-auto met de geopende portieren en de glasscherven op de grond, wees niets op wat er net was gebeurd.

Er liepen zelfs mensen langs die zich totaal niet van de aangerichte schade bewust waren.

Ik boog me verder voorover om de straat beter te kunnen zien, en op dat moment raakte mijn voet iets kleins dat een metaalachtig geluid maakte. Ik pakte mijn Maglite en scheen op de grond om te zien wat het was.

Patroonhulzen. Meerdere.

Mijn hartslag schoot omhoog, en ik draaide me om en keek recht in de loop van een 9-millimeter-Walther.

De man met de vinger aan de trekker, waarschijnlijk Steven Hennessey, hield het pistool een paar centimeter van mijn voorhoofd.

'Verroer je niet,' zei hij. 'Geen vin. Van deze afstand mis ik niet.'

HOOFDSTUK 106

Hij was er aardig in geslaagd zijn uiterlijk te veranderen – bril, donker haar, gladgeschoren. In ieder geval goed genoeg om zich vrijelijk door de stad te kunnen bewegen.

En, besefte ik, waarschijnlijk ook goed genoeg om hier weg te kunnen lopen zonder herkend te worden. De stukjes begonnen op hun plek te vallen.

'Hennessey?'

'Hangt ervan af wie het wil weten,' antwoordde hij.

'Dus jíj hebt de FBI anoniem getipt?' vroeg ik. Dit was een valstrik, zo veel wist ik zeker, en we hadden hem precies gegeven wat hij wilde: een onopvallende surveillance van de twee mensen die het meest van hem wisten. Ik vroeg me af of hij ons al in de auto had willen vermoorden of dat hij ons alleen maar naar zich toe had willen lokken.

'En kijk eens wat dat me heeft opgeleverd,' zei hij. 'En nu wil ik dat je je hand langzaam naar achter brengt en die Glock naar beneden gooit.'

Ik schudde mijn hoofd. 'Ik gooi hem daar wel heen. Ik kan hem niet zomaar op straat gooien.'

'O jawel,' zei hij. Hij drukte de loop van zijn Walther tegen mijn voorhoofd. Die voelde koel aan. Waarschijnlijk had hij een paar minuten geleden met iets groters geschoten.

Ik stak mijn hand naar achteren en liet de Glock vallen. Toen hij het trottoir beneden raakte, trok mijn maag zich samen.

Hennessey deed een stap naar achteren, zodat hij buiten bereik van mijn arm stond.

'Om je de waarheid te vertellen, wilde ik je alleen maar dood en uit de weg geruimd hebben,' zei hij. 'Maar nu je hier toch bent, geef ik je een halve minuut om me te vertellen wat je over mij weet. En dan heb ik het niet over informatie die ook in de krant staat.'

'Dat geloof ik onmiddellijk,' zei ik. 'Je wilt natuurlijk weten hoe ver je moet gaan voordat je weer kunt verdwijnen.'

'Twintig seconden,' zei hij. 'In het beste geval laat ik je misschien wel leven. Vertel op.'

'Je bent Steven Hennessey, alias Frances Moulton, alias Denny Humboldt,' zei ik. 'Je hebt tot 2002 bij de commando's gezeten, het laatst in Afghanistan. Op een grafsteen in Kentucky staat jouw naam, en sindsdien heb je gefreelanced en ben je van de radar geweest.'

'En de FBI?' vroeg hij. 'Waar zoeken ze me nog meer?'

'Ze zoeken je overal,' zei ik.

Hij verstevigde zijn greep en sloot zijn ellebogen. 'Ik weet ook wie jij bent, Cross. Je woont op 5th Street. Er is geen enkele reden om daar vanavond niet ook nog even langs te gaan. Begrepen?'

Er ging een golf van woede door me heen. 'Ik neem je niet in de maling. We hebben ons aan strohalmen vastgeklampt. Waarom dacht je dat we hier niet met een heel team staan?'

'Wat niet is kan nog komen,' zei hij. Maar de sirenes kwamen beslist dichterbij. 'Wat nog meer? Je leeft nog. Vertel.'

'Je hebt je partner, Mitch, vermoord.'

'Daar vroeg ik niet naar,' zei hij. 'Geef me iets waar ik iets aan heb. Laatste kans, en anders ben jij niet de enige Cross die vanavond sterft.'

'In godsnaam, als ik je iets kon vertellen, zou ik het doen!'

De eerste politiewagen kwam met gillende sirene de straat in rijden.

'Zo te zien is je tijd verstreken,' zei hij.

Er klonk een schot – en ik kromp ineen voordat ik besefte dat het niet uit het wapen van Hennessey was. Hij sperde zijn ogen open. Er liep een stroompje bloed naar zijn bovenlip, en hij zakte voor mijn neus in elkaar, alsof iemand de touwtjes had losgelaten.

'Alex?'

Ik keek naar rechts. Max Siegel stond op het dak naast het dak waarop ik stond, beschenen door een smalle reep licht die uit het trappenhuis kwam. Hij hield zijn Beretta in zijn hand en richtte mijn kant op, maar toen onze blikken kruisten, liet hij zijn pistool zakken.

'Gaat-ie?' riep hij.

Ik zette mijn voet op Hennesseys pols en trok de Walther uit zijn hand. Ik voelde geen hartslag in zijn nek en zijn ogen waren net twee bleke schoteltjes. Hij was dood. Max Siegel had hem uitgeschakeld en mijn leven gered.

Toen ik weer opstond liep de straat snel vol. Behalve de sirenes hoorde ik portieren openslaan en de statische ruis van politieradio's. De straat werd afgesloten, maar ik moest mijn Glock nog zien te vinden.

Bij deur zag ik dat Siegel me nog stond aan te staren. Ik was hem dank verschuldigd, maar mijn woorden zouden in het rumoer dat van de straat kwam verloren gegaan zijn, dus stak ik mijn duimen maar op.

Alles kits.

HOOFDSTUK 107

Het regende de volgende morgen. We hadden onze grote pers-
conferentie buiten willen houden, maar eindigden ermee dat we
het toch in het Daly-gebouw deden. Er waren een stuk of honderd verslaggevers, misschien wel meer, en we zorgden ervoor
dat er in de lobby een live audioverbinding was, voor degenen
die er niet meer in konden en voor de laatkomers.

Max en ik zaten met hoofdcommissaris Perkins en Jim Heekin
van de raad van commissarissen achter een tafel. Overal klonk
het geklik van camera's, waarvan de meeste op Max en mij waren gericht. We vormden beslist een vreemd koppel.

Dit was een van mijn momenten van roem. Ik had het een
paar jaar eerder ook al meegemaakt. Gedurende een paar weken
zou er een stroom aanvragen voor interviews binnenkomen, en
misschien zou ik een paar aanbiedingen voor een boek krijgen.
En ik zou die avond, als ik thuiskwam, zeker door journalisten
worden opgewacht.

De conferentie begon met een verklaring van de burgemeester, die een minuut of tien nodig had om uit te leggen dat dit
eigenlijk vooral betekende dat we bij de volgende verkiezingen
weer op hem moesten stemmen. Daarna gaf de hoofdcommissaris een opsomming van de basisfeiten en werd het woord aan
de zaal gegeven.

'Rechercheur Cross,' begon een verslaggever van Fox die als
eerste uit de startblokken was gekomen, 'kunt u ons meenemen
naar wat zich gisteravond precies op het dak heeft voorgedaan?

Van moment tot moment? U bent de enige die dát verhaal kan vertellen.'

Dit was het smeuïge deel van de zaak – het deel dat ervoor zorgde dat er kranten en daarmee advertentieruimte werd verkocht. Mijn antwoord was zo kort dat de vaart erin bleef, maar wel zo gedetailleerd dat ze mc het komende uur niet zouden blijven lastigvallen met vragen als: 'Wat ging er door u heen toen u oog in oog met een koelbloedige moordenaar stond?'

'Dus je zou kunnen zeggen dat Siegel uw leven heeft gered?' vervolgde een andere verslaggever.

Siegel boog zich naar zijn microfoon. 'Dat klopt,' zei hij. 'Hij stond al met één been in het graf, maar ik vond dat hij dit beter zelf zou kunnen navertellen.' Daar werd hartelijk om gelachen.

'Maar even serieus,' vervolgde hij, 'er zijn onderweg misschien wat hobbels geweest, maar dit onderzoek laat perfect zien hoe de federale en lokale autoriteiten kunnen samenwerken wanneer we met een grote bedreiging worden geconfronteerd. Ik ben er trots op dat rechercheur Cross en ik dat bereikt hebben en hoop dat de stad ook trots op ons is.'

Blijkbaar had zelfs Siegels goede kant een enorm ego. Maar ik was niet in de stemming voor pietluttigheden of kleingeestigheid. Als hij het aanzien wilde, kon hij het krijgen.

Ik hield me bij de volgende vragen op de achtergrond, tot het onvermijdelijke gebeurde en iemand vroeg: 'En hoe zit het met het motief? Staat het op dit moment vast dat Talley en Hennessey op eigen houtje opereerden? En zo ja, om welke reden?'

'We onderzoeken alle mogelijkheden,' zei ik meteen. 'Ik kan u alleen met zekerheid vertellen dat de twee mannen die verantwoordelijk waren voor de patriottische scherpschuttermoorden dood zijn. De stad zou naar zijn gewone leven moeten terugkeren. We geven op dit moment nog geen commentaar op die aspecten van het onderzoek die in deze fase nog onduidelijk zijn.'

Siegel keek me aan, maar hield zijn mond, en we vervolgden de schertsvertoning.

De volledige waarheid, die we nooit met de pers zouden hebben gedeeld, was dat we alle reden hadden om ervan uit te gaan dat Talley en Hennessey het strategisch plan van iemand anders uitvoerden. Misschien zouden we nog ontdekken wiens plan dat was, maar misschien ook niet. Als ik het die ochtend had moeten vertellen, zou ik hebben gezegd dat we met deze zaak geen stap verder zouden komen.

Zo ging dat. Bij een groot deel van het politiewerk knaagde je aan de voet van iets zonder dat je ooit aan de top kwam. Sterker nog, de mensen aan de top rekenden daarop. De mensen die voor hen werkten – de huurmoordenaars, de geweldplegers, de straatdieven – namen de risico's en liepen de klappen op.

Dan dacht je algauw aan 'de vossen in het kippenhok'.

HOOFDSTUK 108

Na twee dagen van saai en vermoeiend papierwerk nam ik een lang weekend vrij en speelde met de kinderen een spel dat zij Ketchup noemen. Eigenlijk kwam het er vooral op neer dat ik mijn mobiele telefoon uitzette en zo veel mogelijk met hen deed, hoewel Bree en ik zondagmiddag ook een paar heerlijke uurtjes voor onszelf wisten in te passen.

We reden naar Tregaron in Cleveland Heights, een enorm neogeorgiaans herenhuis op de campus van Washington International School, dat in de zomermaanden werd verhuurd. We kregen een rondleiding van hun neurotische hoofd Externe Betrekkingen, Mimi Bento.

'En dit is de Terrace Room,' zei ze terwijl ze ons vanuit de grote hal voorging.

Het was een zaal met een parketvloer en koperen kroonluchters die op een overkapte patio aan de achterkant uitkwam. Daarachter lagen smetteloze tuinen en had je uitzicht op de Klinglevallei. Niet slecht. Geweldig, eigenlijk. Heel stijlvol.

Mevrouw Bento keek in haar leren folioblad. 'Het is beschikbaar op 11 en 25 augustus... en volgend jaar natuurlijk. Hoeveel gasten hadden jullie in gedachten?'

Bree en ik keken elkaar aan. Misschien vreemd, maar daar hadden we nog helemaal niet over nagedacht. We willen het enigszins intiem houden, dacht ik. Maar het was nog een beetje nieuw voor ons.

'Daar zijn we nog niet uit,' zei Bree, en de mondhoeken van de vrouw gingen nauwelijks waarneembaar omlaag. 'Maar we willen de ceremonie en de receptie in ieder geval op één en dezelfde plek houden. Verder willen we het relatief bescheiden aanpakken.'

'Ik begrijp het,' zei ze. Je zag de dollartekens uit haar ogen wegtrekken. 'Goed, kijkt u nog even rond. Mocht u nog vragen hebben, ik ben op mijn kamer.'

Toen ze was verdwenen, liepen we naar buiten om het terras te bekijken. Het was een schitterende voorjaarsdag en je kon je zo voorstellen hoe het zou zijn om daar een bruiloft te vieren.

'Vragen?' vroeg Bree.

'Ja.' Ik pakte haar hand en trok haar naar me toe. 'Gaan we hier onze eerste dans dansen?'

Ik neuriede een paar maten Gershwin in haar oor en we begonnen meteen heen en weer te wiegen. *'No, no, they can't take that away from me...'*

'Weet je?' vroeg Bree opeens. 'Dit is een geweldige plek. Ik ben er weg van.'

'Dan is dat geregeld,' zei ik.

'Behalve dan dat ik vind dat we ervan af moeten zien.'

Ik stopte met dansen en keek haar aan.

'Ik heb geen zin om de komende maanden na te denken over de kleur van de uitnodigingen of de vraag wie naast wie moet zitten,' zei ze. 'Dat hoort bij de bruiloft van iemand anders, niet bij die van mij. Van ons. Ik wil gewoon met jou getrouwd zijn. Gewoon, nu.'

'Nu?' vroeg ik. 'Bedoel je nù nu?'

Ze lachte en strekte zich om me te kussen. 'Nou ja, snel, dan. Als Damon begin juni terug is van school. Lijkt dat je wat?'

Dat leek me geweldig. Ik wilde dat het de bruiloft werd die Bree wilde – of het in een chic landhuis of in een gewone rijtjeswoning in Washington zou gebeuren, maakte mij niet uit. Zolang zij er maar was.

'Zodra Damon thuis is, dus,' zei ik en bezegelde de afspraak met nog een kus. 'Volgende vraag: denk jij dat we via de achteruitgang weg kunnen, of moeten we het tegen Mimi zeggen?'

HOOFDSTUK 109

Ze hadden de achtertuin schitterend voor ons versierd. Sampson, Billie en de kinderen hadden witte lichtjes in de bomen gehangen en overal waar je keek brandden kaarsen. Er was jazzmuziek en er stonden twaalf stoelen met een hoge rugleuning op de binnenplaats, voor ons gezin en de vrienden die we op het laatste moment nog hadden uitgenodigd.

De kinderen waren bruidjonkers en bruidsmeisje: Ali had de ringen, Jannie straalde in haar schitterende witte jurk waar ze een kapitaal aan had mogen uitgeven en Damon was de grotere, veel zelfbewustere en zelfverzekerdere versie van het kind dat we in de herfst daarvoor op Cushing hadden achtergelaten.

Bree, maar dat was geen verrassing, zag er in een simpel wit jurkje zonder schouderbandjes verbluffend mooi uit. Eenvoud en perfectie in één. Zij en Jannie hadden dezelfde kleine witte bloemen in hun haar, en Nana zat trots op de voorste rij, met één hibiscus boven haar oor en een fonkeling in haar ogen die ik er jarenlang niet meer in gezien had.

Om halfzeven precies knikte onze geestelijk verzorger in het St. Anthony's, dominee Gerry O'Connor, naar Nana dat het tijd was om de ceremonie te beginnen: ze had één verzoek ingediend, en wel dat het haar vergund was het woord te nemen, op haar eigen manier.

'Ik geloof in het huwelijk,' zei ze terwijl ze opstond om het hele gezelschap toe te spreken. Je hoorde de kerk in haar stem doorklinken. 'En ik geloof vooral in dít huwelijk.'

Ze liep naar Bree en mij en pakte ons bij de hand. 'Jullie hebben me dit niet gevraagd, maar ik ga jullie vanavond aan elkaar geven en dat vind ik een grote eer. Bree, ik heb je ouders, God hebbe hun ziel, nooit gekend, maar ik denk dat ze heel gelukkig zouden zijn geweest als ze hadden gezien dat je met mijn kleinzoon trouwt. Hij is een goed mens,' zei ze en ik zag een paar tranen in haar ogen glanzen, wat niet vaak voorkwam. 'Hij is mijn enige kleinzoon en ik deel hem niet met de eerste de beste.

En jij,' zei ze terwijl ze zich tot mij richtte, 'jij hebt de hoofdprijs gewonnen, jongeman.'

'Dat hoef je mij niet te vertellen,' zei ik.

'Nee, maar heb ik me daar ooit door laten tegenhouden? Deze vrouw is echte liefde, Alex. Ik zie het aan haar gezicht als ze naar je kijkt. Ik zie het als ze naar de kinderen kijkt. Ik zie het zelfs als ze naar deze oude spraakwaterval kijkt. Ik heb nooit iemand met een genereuzere ziel dan zij gekend. Jullie wel?' vroeg ze aan de hele groep, en ze reageerden allemaal met een gedecideerd 'Nee!' of 'Nee, mevrouw!'.

'Zo is dat,' zei ze, en ze richtte een benige vinger op mij. 'Dus maak er geen zootje van!'

Ze ging zitten terwijl iedereen lachte, menigeen door een paar tranen heen. Ze had maar een paar woorden gesproken, maar ze had er alles op een prachtige manier mee uitgedrukt.

'Ga uw gang, dominee,' zei ze.

Dominee O'Connor opende zijn boek, en zijn eerste twee woorden hadden niet beter kunnen omschrijven wat ik dacht en voelde toen ik naar de glimlachende mensen om me heen keek – naar mijn beste vriend John Sampson, mijn grootmoeder, mijn prachtige kinderen en deze verbazingwekkende vrouw, Bree, van wie ik me niet meer kon voorstellen dat ik zonder haar zou moeten leven.

'Geliefde aanwezigen…'

HOOFDSTUK 110

Het Feest der Feesten duurde tot diep in de nacht. Op het eten was niet bezuinigd, een bevriende cateraar zorgde voor eindeloze hoeveelheden pittig gemarineerd gegrild varkensvlees, kokosrijst, gefrituurde bakbanaan en iets wat we op voorspraak van Sampson Breelex noemden: twee soorten rum, ananassap, gember en een kers of, voor de kinderen, alleen ananassap, gember en een kers – alhoewel Damon voorzover ik weet één keer de volwassenenvariant heeft geproefd.

Jerome Thurman jamde met zijn combo, Fusion, in de achtertuin, waar onder de sterren werd gedanst. Ik heb zelfs gezongen, na een Breelex of twee. Of drie. Volgens de kinderen klonk het 'vals' en 'echt verschrikkelijk'.

Evengoed stonden we de volgende ochtend voor dag en dauw op. We namen een taxi naar het vliegveld en vlogen via Miami naar Nassau. Daar werden we opgewacht door een limo die ons met gezwinde spoed naar het resort met de toepasselijke naam de One & Only Ocean Club bracht.

Bree en ik kenden het resort uit mijn favoriete James Bond-film, *Casino Royale,* en ik had gezworen dat we daar een keer zouden slapen. De Bond-grapjes begonnen zodra we de beroemde oprijlaan in de vorm van een druppel op reden en we overal auto's om van te kwijlen zagen staan.

'Cross,' zei ze toen ik haar uit de limo hielp. 'Bréé Cross.'

Ik denk dat het voor veel mensen als een verrassing kwam dat ze mijn naam had aangenomen. Het was helemaal haar eigen keuze, maar ik vond het geweldig dat ze dat had gedaan. Ik hield er net zo veel van de naam te horen als hem zelf uit te spreken.

'De heer en mevrouw Cross, we willen graag inchecken,' zei ik tegen de charmante, gastvrije vrouw achter de receptie. Bree kneep even in mijn hand en we lachten als een stel kinderen. Of als een pasgetrouwd stel, misschien. 'Wat denkt u, hoe lang doen we erover om in die oceaan in uw achtertuin te duiken?'

'Ik zou zeggen drieënhalve minuut,' zei de vrouw en schoof onze sleutels over de balie. 'Alles staat voor jullie klaar. Eén dubbele suite in de Crescent Wing en één villa aan de oceaan. Geniet van uw verblijf.'

'O, dat zal wel lukken!' Jannie kwam vanachter ons te voorschijn. Nana, Damon en Ali stonden nog buiten en lonkten naar de witte zandstranden en het turquoise water. Het water was écht turquoise.

'Alsjeblieft, jongedame.' Ik gaf haar de sleutel van de suite. 'Jij hebt nu officieel de verantwoordelijkheid. We zien jullie morgen bij de lunch.'

'Papa, jullie zijn echt gek dat jullie ons hebben meegenomen,' zei ze en boog naar voren alsof ze een geheimpje wilde vertellen. 'Maar ik ben er wel heel blij om.'

'Ik ook,' fluisterde ik terug.

Maar, voor de goede orde, het was natuurlijk wel een huwelijksreis. En daar zijn deurhangers met NIET STOREN voor uitgevonden.

HOOFDSTUK 111

Onze villa was het pièce de résistance. Net als in de film, zoals dat heet. Eén wand bestond volledig uit schuifdeuren met jaloezieën ervoor, die toegang boden tot een privéterras, een landschaps-zwembad en een trapje naar het strand. Het personeel had zowel binnen als buiten verse bloemen neergezet, en het enorme ma-honiehouten bed kostte waarschijnlijk alleen al een jaarsalaris.

'Niet slecht,' zei ik terwijl ik de deur naar de buitenwereld ach-ter ons dichttrok. 'In ieder geval goed genoeg voor *Double O Se-ven*.'

'O James, Jámes,' grapte Bree terwijl ze me het bed op trok. 'Breng me in vervoering, James, zoals alleen jij dat kan...'

En dat heb ik gedaan ook. Van het een kwam het ander, ons plan om meteen naar het strand te gaan werd tot nader order uitgesteld. We slaagden er wel in onze eetlust op te wekken. Te-gen de tijd dat we weer van het bed af kwamen, zakte de zon al in het water en waren we beiden helemaal klaar voor een geweldige maaltijd.

Het is moeilijk te zeggen waar ik die avond meer van genoot: van het Frans-Caribische eten in Dune, van de waanzinnige fles pinot noir of gewoon van het gevoel dat ik nergens naartoe hoef-de en nergens naartoe wilde.

Om de avond echt helemaal compleet te maken gingen we na het eten nog even naar het casino van het Atlantis Resort, voor een potje blackjack. In het begin waren we een tijdje aan de win-nende hand, maar toen we rond middernacht weggingen, waren we vrijwel blut. Maar wat kon het ons schelen? Helemaal niets.

We liepen meer dan anderhalve kilometer hand in hand over het strand naar onze suite.

'Gelukkig?' vroeg ik Bree.

'Getrouwd,' zei ze. 'Gelukkig getrouwd. Ik kan bijna niet geloven dat dit echt is. Dit ís toch echt, of niet? Ik droom toch niet, Alex?'

Ik bleef staan en sloeg mijn armen om haar heen en we keken naar de weerkaatsing van de maan in de oceaan.

'Weet je, we zijn nog steeds niet in dat intens blauwe water geweest,' zei ik. Mijn vingers begonnen de onderste knoopjes van haar blouse los te maken. 'Zin in een nachtelijke zwempartij, mevrouw Cross?'

Bree keek om zich heen. 'Daag je me uit?'

'Ik nódig je uit,' zei ik. 'Maar ik zou me wel een beetje ongemakkelijk voelen als ik in m'n eentje naakt moest zwemmen.' Ze was al bezig mijn broek uit te trekken.

We lieten onze kleren op het zand liggen en doken het water in. Uit de richting van het hotel kwam het geluid van steeldrums, maar het was alsof we de hele oceaan voor onszelf hadden. We kusten een tijdje in het water en eindigden ermee dat we weer begonnen te vrijen, op de vloedlijn. Het was gewaagd, en zanderig, maar dat waren risico's die ik iedere dag van de week bereid was te nemen.

HOOFDSTUK 112

We sliepen lekker uit en namen de tijd om op te staan. Bree bekeek de menukaart van de roomservice en ik trok net een t-shirt aan toen de telefoon ging. Voor de kinderen was het aan de vroege kant, maar dat vond ik niet erg. Integendeel, ik keek ernaar uit om een beetje met hen te dollen. Ik nam op.

'Goedemorgen!' zei ik.

'Zeg dat wel.' Kyle Craigs onmiskenbare stem wurmde zich mijn oor in. 'En, hoe was de bruiloft?' vroeg hij.

Ik had het moeten zien aankomen. Ik had meer voorzorgsmaatregelen moeten nemen. Dit soort telefoontjes droegen Kyles handtekening.

Voordat ik had kunnen antwoorden, kwam er met bulderend gedonder een vliegtuig over – en ik besefte met een schok dat ik het vliegtuig ook door de telefoon kon horen.

Ik rende naar het raam aan de voorkant en keek naar buiten. 'Kyle? Waar ben je? Hoe is het?'

'Is het je opgevallen dat ik mijn beloftes nakom?' vroeg hij. 'Ik zei dat ik je zou laten trouwen, en dat heb ik gedaan.'

'Láten trouwen?'

Buiten was hij nergens te bekennen, maar dat zei niets, hij kon zich overal verstopt hebben. Het was duidelijk dat hij zich in de buurt bevond. Vlakbij.

'En wil je weten waarom?' vroeg hij.

Zwaar ademend speurde ik het terrein rondom het huis af. 'Nee,' zei ik. 'Dat wil ik niet.'

'Omdat ik in het huwelijk geloof,' zei hij terwijl hij Nana's stem nadeed. 'Zo zei ze het toch, eergisteren?'

Plotseling kreeg ik helemaal geen adem meer.

'Bovendien,' vervolgde hij, 'is het veel leuker om een man zijn vrouw af te nemen dan zijn vriendin. Ik ben geduldig geweest, Alex, maar het is tijd voor de rest.'

'Voor de rest? Waar heb je het verdomme over?' vroeg ik, maar ik was bang dat ik het antwoord wel wist.

'Wakker worden, vriend,' zei hij. 'Kijk eens naar het water. Kijk eens wat daar te zien is.'

Ik rukte de glazen schuifdeuren open en keek naar buiten. Het duurde even, toen zag ik hen.

Jannie en Ali stonden beneden op het strand en zwaaiden naar me. En op de een of andere onmogelijke manier stond Max Siegel een paar meter van hen vandaan. Hij had een zonnebril op en droeg een opzichtige blouse. Zijn rechterhand ging schuil onder een badhanddoek, in zijn andere hand hield hij een mobiele telefoon. Hij glimlachte toen hij me zag, en toen zijn mond bewoog hoorde ik Kyle Craigs stem in mijn oor.

'Verrassing!' zei hij.

HOOFDSTUK 113

Ik had het gevoel dat mijn hart even stilstond en toen weer verder klopte. Mijn gedachten schoten alle kanten op. Kyle moest een operatie hebben ondergaan. Hij had Kyles gezicht niet meer. 'Inderdaad,' zei hij. 'Alles wat je nu denkt, klopt. Behalve dan dat deel waarin iedereen gespaard blijft. Dat gaat niet gebeuren.'

Verder weg op het strand keek Nana toe, vanonder een parasol. Damon, de enige die Max Siegel nog niet ontmoet had, lag op een ligstoel naast haar naar zijn iPod te luisteren.

'En, jongens?' vroeg Kyle met Siegels stem. 'Willen jullie jullie vader een ochtendkus geven?'

Hij stak zijn mobiele telefoon in zijn zak en nam Ali's hand, waarbij hij ervoor zorgde dat ik duidelijk zag oplichten wat hij onder de handdoek verborg. Een wapen...

Mijn god, nee. Dit kon niet waar zijn.

Bree en ik hadden onze wapens willens en wetens in DC achtergelaten. Dat bleek een gruwelijke vergissing. Ik moest improviseren. Maar hoe? Wat kon ik als wapen gebruiken?

Terwijl zij over het strand liepen, fluisterde ik snel naar Bree. Er was geen tijd om de mogelijkheden te overwegen. Ik had alleen mijn instinct, en een schietgebedje.

'Hé, papa!' riep Ali terwijl hij de trap op liep. Hij probeerde vooruit te gaan, maar Siegel – Kyle! – hield zijn hand vast. Ik kon niets anders doen dan blijven staan waar ik stond.

Jannie rende voor hen uit. 'Bizar, hè, meneer Siegel is hier ook,' zei ze en kuste me op mijn wang. 'Is dat niet idioot?'

'Ja, ongelooflijk,' zei ik. Noch zij, noch Ali leek te horen hoe hol mijn stem klonk.

'Sorry, hoor, dat ik zomaar binnenval,' zei Kyle, als Max. Hij grijnsde naar me en daagde me uit met zijn blik – het was duidelijk dat hij me uit de tent probeerde te lokken. En die stem! Het was Kyles stem niet, maar toch ook weer wel. Hoe kon het me eerder ontgaan zijn? Zo bleek maar weer dat de hersens volgen wat de ogen zien – of níet zien.

'Geen probleem,' zei ik. Ik hield de schijn op voor de kinderen, en liep achteruit. 'Kom erin. Bree staat onder de douche, maar ze zal zo wel klaar zijn.'

Kyle legde zijn hand op Ali's schouder en mijn maag draaide zich om. 'Waarom zeg je niet even dat we er zijn?' vroeg hij glimlachend. 'Ik wacht hier wel met de kinderen. Ze vindt het vast leuk om te horen dat ik hier ook ben. Wat een toeval, hè? Is het niet idioot?'

Er schoot een soort elektrische lading tussen ons heen en weer – iets wat veel van een heleboel haat weg had. 'Bree?' riep ik. Ik deed een paar stappen in de richting van de badkamer, mijn blik nog steeds op Kyle gericht. 'Kun je komen?'

Ik stak mijn hoofd even snel om de hoek. 'Max Siegel is hier komen aanwaaien,' zei ik zo luid dat hij het kon horen.

Bree trok haar t-shirt uit en stak haar hoofd onder de douche terwijl we elkaar hulpeloos aanstaarden.

'Ik kom eraan!' riep ze terug.

Ik draaide me weer om naar Kyle. Zijn hand lag nog steeds op Ali's schouder.

Jannie zat op de rand van het onopgemaakte bed, maar zij keek me nu opmerkzaam aan. Zij leek aan te voelen dat er iets mis was.

'Ze komt er zo onder vandaan,' zei ik zo ongedwongen mogelijk.

'Mooi,' zei Kyle. 'Dan neem ik jullie mee voor een leuk ritje. Jongens, hebben jullie zin in een avontuurtje?'

307

'Ja!' zei Ali. Jannie zei niets. En al die tijd hield Kyle zijn rechterhand onder die handdoek, zodat zijn pistool niet te zien was.

Bree kwam op blote voeten en in een badjas van het resort uit de badkamer. Als je haar zo zag, zou je niet denken dat ze net zo bang en opgefokt was als ik.

'Max, wat leuk jóu hier te zien,' zei ze terwijl ze met uitgestoken hand naar hem toe liep.

'Je weet niet half hoe leuk,' zei hij zonder zijn plezier nog langer te verbergen.

Maar op het moment dat ze elkaar een hand gaven, haalde Brees andere hand een klein spuitbusje uit de zak van haar badjas – de gratis haarspray uit de badkamer. Ze spoot in Kyles ogen. Hij schreeuwde het uit van de pijn, en Bree gaf hem in één vloeiende beweging een knietje in zijn kruis.

Op hetzelfde moment pakte ik een wijnkaraf van de bar, waar ik met opzet vlakbij was gaan staan. Ik was in drie stappen bij Kyle en sloeg zo hard als ik kon. De zware karaf raakte Kyle vol op zijn wang en neus. Hij ging tegen de vlakte. Overal lagen glasscherven.

Ali schreeuwde, maar voor uitleggen of geruststellen hadden we geen tijd. Bree tilde hem op alsof hij gewichtloos was, greep Jannies arm en sleurde hen mee naar buiten.

En ik stortte me met alles wat ik had op Kyle.

HOOFDSTUK 114

Kyle haalde uit en raakte me vol op mijn kaak. Er ging een schok door mijn hoofd, maar ik kon niet terugslaan: met één hand omklemde ik zijn pols, met de andere het pistool dat hij bij zich had. Daarom gaf ik hem een kopstoot, en hard ook, op de plek waar hij al openlag. Het volstond om het wapen van hem los te wrikken. Een Beretta 9-millimeter. Max Siegels pistool.

Ik krabbelde achteruit over de vloer en mikte tussen zijn ogen, waar hij als een gek in wreef om iets te kunnen zien.

'Ga op je buik liggen!' riep ik terwijl ik overeind kwam. 'Gezicht naar de vloer, handen van je lichaam af!'

Kyle glimlachte. Zijn ogen waren bloeddoorlopen en de tranen liepen over zijn wangen, maar ik wist dat hij me weer kon zien.

'Dit is ironisch,' zei hij. 'Ik had gezworen dat je loog, toen, 's avonds in de auto. Maar je kunt de trekker echt niet overhalen, hè?'

'Niet als ik er geen reden voor heb,' zei ik. 'Maar als je nu niet onmiddellijk met je gezicht naar beneden op je buik gaat liggen, heb ik er wel een! Doe het!'

'Je weet dat ik dit niet snel zeg, Cross, maar je kunt de tering krijgen.'

Plotseling draaide hij zich om, heel snel, en zijn hand met een glasscherf zwaaide naar voren. Ik voelde dat mijn kuitspier door midden ging. Mijn knie knakte. Ik was halverwege de grond voordat ik wist wat er gebeurde.

En Kyle was weer op de been.

Hij strompelde naar buiten. Het enige schot dat ik wist te lossen, verbrijzelde het glas van de schuifdeur in plaats van zijn hoofd. Hij sprong van het terras en was verdwenen.

HOOFDSTUK 115

Toen ik op het strand kwam, schoot ik één keer in de lucht. Wie niet al voor Kyle aan de kant was gegaan, maakte nu dat hij wegkwam. Hij slingerde alle kanten op. Misschien had hij een hersenschudding, maar mijn been hielp ook niet echt. Zo'n achtervolging had ik nog nooit meegemaakt.

Sommige mensen gilden, andere trokken hun kinderen uit het water. En nog voor ik kans had gezien ook maar één schot te lossen, moest ik toezien hoe Kyle vooroverboog en een jochie van twee, drie jaar voor de ogen van zijn moeder van het zand optilde.

De vrouw rende op hem af maar Kyle hield het jochie als een schild voor zich.

'Achteruit!' schreeuwde hij. 'Achteruit of ik...'

'Neem mij!' De moeder was op haar knieën gezakt, niet in staat dichterbij te komen of weg te gaan. 'Neem mij in plaats van hem!'

'Kyle, zet hem neer!'

Hij draaide zich om om mij aan te kunnen kijken, en ik was zo dichtbij dat ik in zijn blik kon zien dat hij zijn kalmte had herwonnen. Hij had de onderhandelingstroef die hij nodig had, en dat wist hij.

'Je kwam hier voor mij, niet voor dat jochie,' zei ik. 'Laat hem gaan! Neem mij!'

Het arme kind snikte en strekte zijn armen naar zijn moeder uit, maar Kyle sjorde hem alleen maar wat verder omhoog en hield hem nog steviger vast.

'Eerst wil ik dat pistool terug,' zei hij. 'Geen gepraat meer. Leg dat pistool neer en loop achteruit. Drie. Twee...'

'Oké.' Ik knielde langzaam. Mijn been bleef steken, ik kon hem bijna niet meer bewegen. 'Ik leg hem neer,' zei ik.

Maar als het om het leven van dat jochie ging, geloofde ik Kyle niet op zijn woord. Dus nam ik het risico. Op het laatste moment richtte ik laag en schoot. De jongen was niet groot genoeg om Kyle van onder tot boven te beschermen. Mijn schot trof Kyle net onder zijn knie.

Hij jankte als een wild dier. De jongen viel in het zand en kroop naar zijn moeder. Kyle probeerde te staan, maar hij kreeg maar één been overeind – en dat alleen tot ik hem ook daarin trof.

Hij viel terug in het zand, zijn borst rees en daalde van de pijn. Zijn benen waren nu één bloederige massa, en... dat gaf me een goed gevoel. Het schonk me extra veel voldoening dat ik hem met zijn eigen wapen had neergelegd.

Op dat moment zag ik dat Bree met twee agenten in uniform naar ons toe rende. Ze wees naar Kyle en rende toen regelrecht naar mij.

'O mijn god.' Ze legde haar arm om me heen, zodat ik mijn been kon ontlasten. 'Gaat het?'

Ik knikte. 'Hij heeft een ambulance nodig.'

'Die is al onderweg,' zei een van de agenten.

Kyles ogen waren dicht, maar hij opende ze toen mijn schaduw over zijn gezicht viel.

'Het is voorbij, Kyle,' zei ik. 'En dit keer voorgoed.'

'Het is maar wat je "voorbij" noemt,' zei hij zwaar ademend. Zijn adem was onregelmatig en hij beefde van de pijn. 'Dacht je dat jij gewonnen had?'

'Ik heb het niet over winnen,' zei ik. 'Ik heb het erover dat jij ergens wordt opgeborgen waar je nooit meer iemand iets kunt aandoen.'

Hij probeerde te glimlachen. 'Dat heeft me de vorige keer ook niet tegengehouden,' zei hij.

'Tja,' zei ik, 'je weet wat ze zeggen: Het enige wat erger is dan de isoleercel, is terug naar de isoleercel. Maar misschien zeggen ze maar wat.'

Misschien zag ik in Kyle Craigs ogen wel voor het allereerst iets wat op angst leek. Het was er maar heel even, toen keek hij weer star voor zich uit.

'Het is nog niet afgelopen!' riep hij met schorre stem, maar hij had het tegen mijn rug.

Op dat moment stopte de ambulance vlak bij ons, en ik wilde het ambulancepersoneel waarschuwen.

'Zorg eerst voor hem,' zei ik. 'Maar jullie moeten oppassen. Die man is extreem gevaarlijk.'

'We hebben alles onder controle, meneer,' zei een van de agenten tegen me. 'En u zult dat wapen moeten inleveren.'

Ik gaf het hem met lichte tegenzin, en Bree hielp me op een ligstoel, vanwaar ik alles in het oog kon houden. Ondertussen pakte ze een handdoek en bond die strak om mijn been.

Het ambulancepersoneel gaf Kyle een infuus en een zuurstofmasker en knipte zijn broek open. Kyle nam niet de moeite zich te verzetten. Hij had veel bloed verloren en zijn lijkbleke gezicht had iedere uitdrukking verloren. Waarschijnlijk was het tot hem doorgedrongen dat hij naar de extra beveiligde inrichting van Florence zou worden teruggebracht.

Ze tilden hem op een brancard en legden de infuuszak en de zuurstoftank tussen zijn benen om alles in één keer de ambulance in te kunnen tillen.

'Jullie moeten hem boeien,' riep ik naar de agenten. 'En laat hem niet met alleen het ambulancepersoneel wegrijden!'

'Kalm aan, meneer,' zei een van hen geïrriteerd tegen me.

'Ik ben rechercheur, ik weet waar ik het over heb!' zei ik. 'Die man wordt door de FBI gezocht. Jullie moeten hem boeien. Nu meteen!'

'Goed, goed.' Hij wenkte zijn collega en ze liepen naar Kyle.

Alsof de scene in slow motion werd afgespeeld zag ik hoe de eerste agent achter in de ambulance stapte en zijn handboeien te voorschijn haalde. Met de gekanaliseerde krachten die alleen een psychopaat als hij onder zulke omstandigheden kan verzamelen stak Kyle zijn hand uit en gebruikte de boeien om de agent naar zich toe te trekken. In een oogwenk had hij diens dienstwapen in zijn hand.

Bree stond intuïtief op om te helpen, maar ik liet me van de ligstoel rollen en trok haar met mij mee het zand in.

Er viel een schot, en toen nog een.

Toen volgden twee explosies. Later zouden we achterhalen dat één kogel in Kyles zuurstoftank terecht was gekomen.

Die spatte met een steekvlam uit elkaar, meteen gevolgd door de benzinetank.

De ambulance explodeerde met een oorverdovende knal. Glas en metaal vlogen de lucht in en er viel een regen van zand op ons neer. Overal was gegil te horen.

Toen ik mijn hoofd optilde, zag ik dat niemand de explosie overleefd had. De ambulance was zwartgeblakerd, er sloegen vlammen uit en er stegen zwarte rookwolken uit op. De agenten en beide ambulancebroeders waren dood.

Zo ook Kyle. Tegen de tijd dat het vuur was gedoofd en we dichterbij konden komen, zagen we dat zijn lichaam van top tot teen verkoold was.

Het gezicht waarin hij zo veel had geïnvesteerd, was volstrekt onherkenbaar geworden. Er was alleen een nietszeggend zwart masker van over.

Ik vroeg me af of Kyle met opzet op die zuurstoftank schoot. Misschien was een terugkeer naar eenzame opsluiting meer dan hij kon verdragen. Uiteindelijk zou ook het leven in de gevangenis hem kapotgemaakt hebben, en Kyle wist dat.

Misschien had hij zelfs geprobeerd mij in zijn ondergang mee te slepen – een allerlaatste poging de klus waar hij om een of andere reden zijn levenswerk van had gemaakt, af te ronden.

Eigenlijk dacht ik dat ik de antwoorden op die vragen wel kende, maar zeker zou ik het natuurlijk nooit weten. En misschien dat het me ooit – ooit – ook niet meer zou interesseren.

EPILOOG

Zomer

HOOFDSTUK 116

.

De mediastorm die me bij thuiskomst wachtte, overtrof zo mogelijk alles wat ik eerder had meegemaakt. Kyle Craig was de beroemdste gezochte persoon van het land, en iedereen wilde een kruimel van het verhaal. Ik moest de beveiligingsdienst van Rakeem Powell nog een aantal dagen inhuren om ervoor te zorgen dat de nieuwsgierigen op afstand bleven en mijn gezin de schijn van privacy nog enigszins kon ophouden.

Ik had verwacht dat Nana woest zou zijn om alles wat er in Nassau was gebeurd, maar dat viel mee. We deden allemaal ons best de draad weer op te pakken.

De eerste dagen nam ik alle tijd om met de kinderen te praten, met z'n allen samen en met ieder apart. Ik wilde hun laten weten dat het gebeurde heel reëel, maar ook het eind van iets was geweest.

Ik denk dat ze dat, ieder op haar of zijn eigen manier, begrepen. Toen de twee weken vakantie voorbij waren, ging het met iedereen redelijk goed.

Maar ik had wel een beslissing genomen. Ik moest vaker thuis zijn dan de afgelopen tijd het geval was geweest, in ieder geval voorlopig. Ik vroeg voor de rest van de zomer onbetaald verlof aan en hoopte dat ze het zouden honoreren. Zo niet, dan niet. Dan zou ik ander werk gaan zoeken.

Zo overwoog ik serieus nog een boek te schrijven, dat alleen over Kyle Craig en de Meesterbreinzaak zou gaan. Kyle was niet alleen de grootste uitdaging in mijn carrière, maar ooit ook een vriend geweest. Ik had het gevoel dat ik daar een verhaal over moest vertellen, en dat dat verhaal ijzersterk was.

Ondertussen had ik genoeg andere dingen te doen. Zonnebloemen planten, films bekijken, boksen in de kelder, naar honkbalwedstrijden gaan en tochtjes naar het Smithsonian maken. Lange avondmaaltijden die doorgingen tot het donker was, met goede gesprekken of potjes kwartet. En dan was er natuurlijk nog mijn kersverse vrouw, die ik wilde overstelpen me alle liefde die ik had te geven.

We hadden een heel nieuw leven vóór ons.

HOOFDSTUK 117

Had het maar de hele zomer lang zo kunnen blijven.

Maar het weekend na Onafhankelijkheidsdag werd ik gebeld door de MPD, hoewel ze hadden gezworen dat ze me niet zouden storen, wat er ook gebeurde.

Een rechercheur uit het Texaanse Austin had rondgebeld omdat hij naar mij op zoek was. Hij zat met een meervoudige moord, een verbijsterende, weerzinwekkende zaak. Maar het waren niet alleen die moorden in Texas. De zaak vertoonde opvallende gelijkenissen met een zaak van mij; een waarvan ik dacht dat ik hem jaren geleden had afgerond.

Maar goed, ik verwees hem naar een rechercheur uit Dallas met wie ik had samengewerkt, en ik hield voet bij stuk. Ik was nu even geen agent. Niet tot september.

Maar toen kwam het volgende telefoontje, zo'n twee weken later. Deze keer was het een rechercheur uit San Francisco, Boxer. Ze had een vreemde zaak onder handen, en ook die kwam mij bekend voor, hij had veel weg van de moorden die een zekere Smith had gepleegd. Ik had Smith opgepakt en voor mijn ogen zien sterven. Althans, dat dacht ik.

Maar dat verhaal vertel ik een andere keer.